Confessions du (PAS SI) Grand Méchant Loup

D1320109

Anne-Claude

Claire Pyatt

Confessions
du (PAS SI)
Grand Méchant
Loup

Les Éditions Goélette

Graphisme : Marie-Claude Parenteau
               Marjolaine Pageau

Traduction : Catherine Girard-Audet

Auteure : Claire Pyatt

Illustrations : Shutterstock

Paru sous le titre orignal de : *Confessions of
a Fairytale Villain, The Big Bad(ish) Wolf* en 2009
par Potter Books (Tony Potter Publishing)
© 2009 WizzBook Ltd

Pour la présente édition : © 2010 Les Éditions Goélette

Dépôt légal : 4ᵉ trimestre 2010
Bibliothèque et Archives nationales du Québec
Bibliothèque nationale du Canada

Les Éditions Goélette bénéficient du soutien financier de la SODEC
pour son programme d'aide à l'édition et à la promotion.

Nous remercions le gouvernement du Québec de l'aide financière
accordée par l'entremise du Programme de crédit d'impôt
pour l'édition de livres, administré par la SODEC.

Imprimé au Canada
ISBN : 978-2-89638-838-7

Voici le journal INTIME
et très PRIVÉ de Balthazar.

NE PAS OUVRIR !

(Au risque de vous faire manger !)

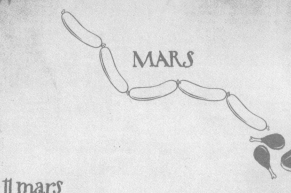

MARS

11 mars

Je m'appelle Balthazar J. Loup et je suis accroc à la viande. Quel soulagement de pouvoir enfin l'admettre !

Pendant longtemps, je n'ai pas cru qu'il s'agissait d'un vrai problème. J'aime la viande. Et le lard ? Euh… je veux dire : et alors ? Maturin ne s'est jamais plaint de la disparition de ses dindes et de ses poulets, et Bo Peep a toujours eu de la difficulté à contrôler son troupeau de moutons, alors autant l'aider…

J'ai beaucoup voyagé pour déguster de nombreuses variétés de viande, mais quoiqu'il arrive, je reviens toujours à Livredecontes. La vérité, c'est que les animaux y sont beaucoup plus savoureux.

La première fois que j'ai vu les Trois Petits Cochons, c'était en janvier dernier. Ils venaient tout juste de fonder leur propre entreprise de construction Porcs et Imports et travaillaient d'arrache-pied sur leurs logements à bas prix : des maisons construites avec de la paille et des bâtons de bois (qui n'a évidemment jamais connu le succès espéré). Je les ai observés longuement pendant qu'ils s'affairaient. Ils étaient si roses et si suintants que je pouvais presque les entendre grésiller.

J'ai un peu honte de l'admettre, mais l'idée de déguster ces Trois Petits Cochons m'a obsédé pendant les trois semaines suivantes. Je rêvais de jambon rôti au miel, de sandwichs au bacon et ketchup et de tendres côtelettes de porc aux pommes gratinées au fromage frais. Un soir, alors je ne pouvais plus supporter les gargouillements de mon estomac, j'ai décidé de me rendre jusqu'au village.

Je me suis approché du domicile du premier cochon. J'ai éclaté de rire en voyant la maison en paille, et quelqu'un a aussitôt allumé une lumière.

« Qui est là ? » a demandé une petite voix. Un Petit Cochon effrayé (et savoureux) a sorti sa tête par la fenêtre.

« Hum… Je suis l'inspecteur en bâtiments. Laissez-moi entrer », lui ai-je répondu (c'est complètement ridicule puisqu'il était minuit).

« Ce n'est pas vrai, s'est écrié le cochon dans la nuit. Tu es le Grand Méchant Loup ! Oh, non ! Tu ne peux pas entrer, Grand Méchant Loup. Je ne suis pas fou, fou, fou ! »

Je me suis détourné pour rebrousser chemin après avoir poussé un grand soupir de découragement. Je me suis alors rendu compte que la maison entière s'était mise à trembler sous la force de mon souffle. J'ai eu une idée. J'ai pivoté vers le Petit Cochon.

« Alors, je soufflerai fort, je soufflerai si fort que ta maison cèdera de tous bords ! » (Techniquement, ma réplique devrait être « ta maison va tomber, mais ça ne rime pas avec « fort ».)

C'est exactement ce que j'ai fait. J'ai soufflé très fort et la maison entière s'est écroulée. Le Petit Cochon est sorti des décombres et s'est précipité vers la maison de bois adjacente à la sienne avant que je puisse l'attraper. J'ai rapidement réussi à anéantir la deuxième demeure en salivant à l'idée de deux cochons pour le prix d'un. Malheureusement, j'en avais perdu le souffle, et comme j'étais un peu étourdi, les deux cochons en ont profité pour se réfugier dans la maison de briques voisine avant que je puisse reprendre mes esprits.

Cette fois, j'ai eu beau soufflé de toutes mes forces, la maison n'a pas voulu bouger d'un centimètre.

« Tu gaspilles ton souffle, s'est alors écrié un des cochons par la fenêtre de l'étage. Tu n'arriveras jamais à faire tomber cette maison, alors va-t'en ! »

J'étais humilié, mais le pire restait à venir.

12 mars

J'ai rencontré Paul ce matin. Il voulait que je lui parle du pire moment de ma vie.

Honnêtement, je n'avais pas vraiment envie de le lui raconter. (Paul, je suis désolé. Je sais que tu liras ceci et que tu veux que j'écrive ce journal pour que je puisse exprimer mes « sentiments », mais tout ce que je « sens », c'est que tu es un imbécile.) Je me suis contenté de hausser les épaules et d'ignorer la question.

Mais puisque tu y tiens tellement, Paul, je vais te raconter. Je préfère te prévenir tout de suite : ce n'est pas une jolie histoire.

Après l'échec des cochons, je me suis isolé durant quelques semaines. J'avais entendu dire que les Trois Petits Cochons avaient engagé des détectives privés pour essayer de me retrouver et de me poursuivre en justice. J'ai donc trouvé un joli coin de broussailles dans les bois et je m'y suis réfugié pendant quelque temps. J'étais affamé, mais l'idée d'être enfermé par le roi dans un donjon souterrain et sombre m'empêchait de retourner au village. Je me suis donc résolu à me nourrir de petits fruits. Avez-vous déjà mangé des petits fruits ?

Ils sont minuscules, et on doit en engloutir au moins un million pour se sentir rassasié. En plus, ils sont dégoûtants (je vous jure que j'ai mangé des crottes de nez plus grosses que ces fruits. Plus appétissantes aussi, mais ça, c'est une autre histoire).

Un après-midi, alors que je me reposais sur l'herbe en rêvant à un baril de poulet frit, le Petit Chaperon rouge est passé près de moi. Je sais que j'aurais dû ressentir de la compassion lorsqu'elle m'a dit qu'elle s'en allait visiter sa grand-mère qui était malade, mais la seule chose que j'avais en tête, c'est l'image du Chaperon en sauce avec quelques épices. J'ai donc décidé d'emprunter un raccourci et de me rendre chez sa grand-maman avant elle.

Je crois que tout le monde connaît la suite (les événements sont relatés sur papier, alors vous avez dû les lire quelque part). Tandis que je courais dans le bois vêtu d'une chemise de nuit et d'un bonnet, la Mère-Grand dans le ventre et le bûcheron muni d'une hache à mes trousses, j'ai compris que j'avais touché le fond du baril.

Une foule en furie m'attendait de pied ferme, et j'ai été forcé de retourner à Livredecontes et de m'inscrire à un programme de réadaptation pour éviter d'être banni ou pire, enfermé à perpétuité dans la tour de Rapunzel.

Je dois avouer que jusqu'à maintenant, les choses se déroulent plutôt bien. Je vais réussir cette désintox les doigts dans le nez. Avec un peu de gâteau. Ou de tarte. Oh oui! Une délicieuse pointe de tarte au porc avec des cornichons sucrés et une touche de moutarde. Miam.

15 mars

Aujourd'hui, je suis censé raconter mon plus beau souvenir d'enfance. Je crois que c'était dans la tanière quand je jouais avec mes frères et sœurs pendant que maman préparait le souper, qui était généralement constitué d'un pâté de lapin ou d'un ragoût de poulet et des quenelles. Elle était toujours fière de moi parce que je finissais mon assiette et que j'en redemandais une autre portion.

En fait, non. Je crois que mon plus beau souvenir remonte au moment où nous sommes allés faire un voyage sur la côte pour les vacances. Maman nous préparait tous les jours un délicieux pique-nique constitué de tranches épaisses de pain de viande, de bâtonnets de dinde ou de saucisses enrobées de bacon.

L'après-midi, nous organisions des barbecues sur la plage : des burgers, des hot-dogs et de délicieux steaks de jambon.

Ce furent des vacances inoubliables.

16 mars

Il paraît que ce que j'ai écrit hier n'est pas suffisant. Paul prétend que ce n'est pas propice à mon rétablissement et que j'ai besoin de trouver un souvenir qui ne soit pas centré sur la nourriture.

Je ne vois pas pourquoi je me forcerais autant.

20 mars

Cet après-midi, j'ai dû assister à l'un de ces séminaires super nuls où des invités proposent des idées pour mieux se nourrir. Aujourd'hui, Dame Tartine est venue nous parler des avantages nutritifs du fromage cottage et du petit-lait.

J'ai aperçu Ed la hyène, il mangeait des languettes de porc en cachette, mais son geste a vite été rapporté et réprimandé. Le pauvre s'est fait expulser de la pièce en hurlant par deux robustes infirmières. L'une d'elles lui a administré une injection de jus de carotte et Ed a aussitôt balancé sa tête vers l'arrière, incapable de riposter. Après ça, j'ai eu de la difficulté à me concentrer sur le séminaire ; je n'arrêtais pas de penser au regard d'Ed lorsque le jus de carotte a agi sur son organisme. En plus, la présentation de Dame Tartine est certainement la chose la plus ennuyeuse que j'aie entendue de ma vie (pire encore que Rock Voisine).

C'est quoi, du petit-lait? J'ai regardé dans le dictionnaire en revenant dans ma chambre.

Petit-lait (n.m.): *liquide jaune pâle restant après la coagulation du lait lors de la fabrication du fromage, renfermant les éléments solubles du lait (lactose, protéines solubles et sels minéraux).*

Oh. Miam!

21 mars

Paul dit que pour profiter pleinement de mon expérience ici, je dois prendre les choses plus au sérieux. « Les discussions sont organisées par le Centre pour contribuer à ton bien-être, Balthazar, et tes sarcasmes ne sont pas appréciés. » Il m'a aussi dit que si je ne voulais pas profiter de mes sessions avec lui pour parler de moi, alors je devais obligatoirement le faire par le biais de ce journal intime.

Hum… Mes pensées? Les voici: rôti de bœuf, jambon glacé, cuisses de poulet…

23 mars

Il m'a fallu plusieurs jours, mais je me suis enfin remémoré un souvenir d'enfance qui ne soit pas centré sur la nourriture.

Quand mes frères, mes sœurs et moi avions à peu près cinq ans, ma mère nous a fait monter dans un train pour nous emmener visiter une grande ville. C'est l'endroit le plus excitant que j'aie vu de ma vie. Il y avait de gros autobus rouges et de grands édifices, des milliers de gens qui entraient et sortaient des boutiques où l'on pouvait acheter des bijoux, des chaussettes, des néons d'affichage pour les voitures, du chocolat ou même des séries télé. La ville regorgeait de musées, de galeries d'art et de théâtres.

Nous nous sommes assis sur des marches de pierre situées en bordure d'un grand parc où des centaines d'oiseaux virevoltaient dans les airs. Il faisait frisquet et nous nous sommes blottis les uns contre les autres près de notre mère. Je me souviens de l'odeur de son café se mélangeant doucement à celui de son parfum.

Maman nous a dit que nous devions attendre notre père. Je me sentais si excité. Mon père nous avait quittés à notre naissance et je ne l'avais revu qu'une seule fois depuis, mais j'étais trop jeune pour m'en souvenir. Nous sommes restés sur les marches jusqu'à la tombée de la nuit en soulevant la tête promptement à chaque bruit de pas, le cœur rempli d'espoir.

Mon père n'est jamais venu. J'ai vu ma mère pleurer lorsque nous sommes entrés dans le train pour retourner à la maison, mais elle l'a toujours nié ; elle prétend que le vent lui irritait les yeux. Je me souviendrai toujours de cette journée, car je ne me suis jamais senti aussi heureux que sur ses marches froides avec ma famille, dans l'attente de voir mon père

« Comment pourrais-tu résumer ce que tu as ressenti ce jour-là, Balthazar ? » m'a demandé Paul pendant notre session du jour en refermant mon journal.

« J'ai déjà dit "heureux", non ? » lui ai-je souligné en m'affalant davantage sur ma chaise. La salle de rencontres sent toujours le chou bouilli, ce qui me donne la nausée.

« Je ne parle pas du moment où tu étais assis sur les marches. Comment t'es-tu senti lorsque tu as réalisé que ton père ne viendrait pas ?

Lorsque tu as vu ta mère pleurer ? » a dit Paul en se penchant vers moi.

« Je n'sais pas », ai-je répondu en haussant les épaules. Que me veut ce type ? Il m'a demandé de lui raconter un souvenir d'enfance, et c'est ce que j'ai fait ; alors à quoi rime cet interrogatoire ?

Paul a eu l'air déçu et s'est affaissé sur sa chaise avant d'écrire quelque chose dans son carnet.

Il est tellement lourd ; il veut toujours me faire dire quelque chose de « profond ». Abandonne, Paul. Il n'y a rien à dire. Je me sens aussi profond que la mousse de ton cappuccino.

27 mars

Aujourd'hui, nous avons reçu un autre invité lors du séminaire : le Petit Bonhomme de pain d'épices. Ha, ha ! Pourquoi écouterais-je ses conseils ? Il est aussi mince qu'une feuille de papier et finit toujours par se faire dévorer par ses prédateurs (une rumeur court selon laquelle il porterait une prothèse à la place de la jambe droite, car le renard la lui aurait arrachée lors d'une rude bataille).

Je n'ai pas vu Ed la hyène pendant le séminaire. Ses sœurs Shenzi et Banzaï m'ont dit qu'ils avaient décidé de l'isoler dans une aile du Centre pour lui faire suivre une thérapie intensive de brocoli. Je n'ai aucune idée de ce que ça implique, mais ça semble terrifiant.

30 mars

« Comment s'est passée ta puberté ? » Voici la dernière question de Paul. Ce type est trop curieux. Je suis resté assis sans dire un mot pendant ce qui a semblé être une éternité jusqu'à ce qu'il insiste : « Alors ? »

« Hum… je crois qu'elle a dû ressembler à celle des autres », ai-je répondu.

« Et l'école ? »

Le mot « école » m'a donné la nausée. Je n'ai jamais aimé l'école. Mes frères et sœurs se faisaient des tonnes de nouveaux amis et récoltaient de bonnes notes, mais moi, je n'arrivais pas à me joindre aux autres. J'étais très timide, ce qui ne m'aidait guère, et je n'étais doué ni en sport, ni en musique, ni en théâtre. J'éprouvais des difficultés en mathématiques, en sciences et en anglais et je n'étais pas assez "bon" ni assez "indiscipliné" pour attirer l'attention des professeurs.

J'avais toujours hâte que la journée se termine pour rentrer à la maison et m'installer devant la télé avec deux ou trois délicieuses collations en attendant le souper réconfortant et alléchant préparé par maman. C'est seulement lors du repas que j'arrivais à oublier à quel point l'école m'ennuyait et me faisait sentir seul au monde.

Les mois ont passé et j'ai commencé à me rendre compte que j'étais beaucoup plus gros que mes frères et sœurs. Maman s'en est aussi aperçue et s'en est réjouie. Elle était fière que je reprenne deux ou trois assiettes des mets qu'elle cuisinait. Elle souriait et disait que j'étais en pleine croissance.

Un jour, j'ai accidentellement accroché mon camarade Jeannot Lapin, et ce dernier a littéralement volé dans les airs. La classe s'est tue d'un seul coup avant d'éclater de rire. «Wow! Regardez-le aller!» s'est écrié quelqu'un. «Prenez garde à Balthazar», a dit un autre.

Une étrange sensation de fierté et de puissance m'a envahi. Des jeunes qui ne m'avaient jamais adressé la parole auparavant me tapotaient le dos, m'appelaient « mon pote » et m'invitaient à m'asseoir avec eux pour le dîner. Je me souviens que lorsque Jeannot Lapin s'est relevé sur ses pattes, il a essuyé ses vêtements et m'a regardé avec un air apeuré.

« À l'avenir, évite de te trouver sur mon chemin », lui ai-je dit d'une voix que je ne reconnaissais pas. Le pauvre petit lapin a pris la fuite en se prosternant pratiquement devant moi. Je ne m'étais jamais senti à la fois si heureux et si blasé de toute ma vie.

« Balthazar ? L'école ? » La voix de Paul est venue interrompre mes pensées.

« Rien de spécial », lui ai-je répondu.

31 mars

Je me suis réveillé vers minuit, car j'ai fait un mauvais rêve : je me faisais poursuivre dans mon ancienne école par un Jeannot devenu géant. Je demandais de l'aide à mes camarades, mais ils se contentaient tous de répondre : « Tu es le Grand

Méchant Balthazar, non ? Alors, tu n'as pas besoin de notre aide. »

Je me suis réveillé en sueur. Je suis sorti de ma chambre et me suis faufilé vers la réception du Centre. Pierre, un garde de sécurité qui se croit aussi indispensable qu'un agent du FBI, dormait à poings fermés sur son bureau, ses pieds reposant sur la télé de surveillance.

Je me suis glissé hors du Centre sans réfléchir, guidé par l'envie de fuir le plus loin possible.

AVRIL

1er avril

Ce matin, je me suis réveillé avec un mal de tête insupportable. Ma langue était aussi sèche que du papier de verre. Je me suis étendu sur l'herbe, j'ai fermé les yeux et j'ai essayé de remettre de l'ordre dans mes idées. Je me souviens de m'être glissé au cœur de la nuit et d'avoir aperçu une silhouette menaçante surgir de l'ombre en brandissant un livret de bons de réduction de restauration rapide devant ma truffe.

« Deux hamburgers pour 0,99 $, mon ami, a-t-elle chuchoté de façon alléchante. Et 0,50 $ de rabais sur un trio de côtelettes. »

Je n'avais pas d'argent et j'étais désespéré. J'ai posé ma main sur mon poignet, là où je portais la montre en argent que ma mère m'avait offerte pour mon anniversaire. Elle n'était plus là. Je me suis mis à gémir.

J'ai ouvert péniblement les yeux en luttant contre les rayons du soleil, et je me suis rendu compte que j'étais étendu au pied de la colline de Jack et Jill, entouré d'emballages de hamburgers, d'os de côtelettes et de pots vides de sauce barbecue. J'ai soudain entendu un « clic » assourdissant, suivi d'un flash lumineux, puis on a brandi un micro sous mon nez.

C'était Boucle d'or qui utilisait ses meilleures techniques d'intervieweuse pour découvrir si j'avais décidé « de quitter le Centre de réhabilitation malgré l'avis de mes médecins ».

Est-ce vrai? Je n'arrivais pas à comprendre ce qui m'arrivait. J'ai entendu le déclic des caméras, puis Boucle d'or a voulu savoir si j'avais fait une rechute. J'ai protégé mes yeux des flashs aveuglants et j'ai rétorqué que j'étais à jeun.

« Alors comment expliques-tu ceci? » m'a demandé Boucle d'or avec un air dramatique en se détournant pour permettre au caméraman de bien filmer les déchets qui jonchaient le sol.

Elle s'est aussitôt retournée vers la caméra sans me laisser le temps de répondre, faisant ainsi virevolter ses boucles d'un geste mélodramatique. «Vous l'avez vu comme moi, chers téléspectateurs», a-t-elle dit en souriant de toutes ses dents. « Le Grand Méchant Loup n'a pas changé. Qu'est-ce que ça signifie pour les pauvres habitants de Livredecontes? Écoutez notre reportage spécial intitulé "Pas de pitié pour les vilains" pour le découvrir. Ce soir, 18 heures, au Canal Cinq. »

Paul a alors surgi de la foule en exigeant des curieux qu'ils s'écartent du chemin. Il a aussitôt repoussé Boucle d'or, qui était en train de poser devant la caméra.

Paul m'a aidé à me relever. Il a mis son veston par-dessus ma tête et m'a guidé vers sa voiture en repoussant les journalistes et paparazzis. Nous avons roulé jusqu'à un café situé en bordure de la route. Paul m'a prévenu que je ferais certainement la manchette des journaux et du téléjournal. Il m'a ensuite commandé un smoothie au gingembre et aux carottes.

Il m'a promis que ça m'aiderait à me sentir mieux. J'ai rétorqué que ça ne pouvait être pire. J'avais tort. Paul a hoché tristement la tête tandis que je courais vers les toilettes.

2 avril

Paul avait raison : je faisais bel et bien les manchettes, hier soir, et celles du Journal de Livredecontes de ce matin, qui disait :
« GRANDE MÉCHANTE ERREUR !
Les habitants de Livredecontes exigent l'emprisonnement du loup. »

« Ça s'annonce mal, n'est-ce pas ? » ai-je demandé à Paul lorsque nous sommes entrés dans la cantine du Centre. Il m'a arraché le journal des mains et a rapidement consulté l'article.

« En effet, fit-il. Le village entier est en colère, et le roi a tendance à se conformer à l'opinion générale. »

« Crois-tu qu'il m'emprisonnera ? » ai-je demandé, la voix lasse et la mine basse.

« En tenant compte de tes derniers agissements, c'est possible. »

J'ai appuyé ma tête contre la table et Paul en a profité pour ramasser son plateau et s'éloigner. Une chaise a grincé contre le plancher de tuiles et j'ai senti quelqu'un s'asseoir près de moi.

« Je ne sais pas pourquoi tu paniques, s'est exclamé mon visiteur d'une voix rauque. Tu n'es pas mieux ici qu'en prison, de toute façon. »

J'ai levé les yeux vers Ed la hyène. Je ne l'avais pas revu depuis le séminaire de Dame Tartine, mais il faisait peur à voir : il avait perdu la moitié de sa fourrure et sa peau était parsemée de plaques rouges et rêches. Son cou était encore plus maigre que d'habitude et ses yeux étaient embués et mornes. Je l'ai observé tandis qu'il avalait une bouchée d'épinards en grimaçant.

« Qu'est-ce qu'ils t'ont fait ? » ai-je demandé. Ed s'est recroquevillé au moment où une superbe infirmière apparaissait à ses côtés. « Allez, mon gars, fit-elle sévèrement. C'est l'heure. »

« Aide-moi ! » a articulé Ed, tandis qu'on l'escortait à l'extérieur de la cantine.

Je me suis levé d'un bond, et j'ai renversé ma tasse de thé sur le journal. J'ai regardé le liquide imbiber le papier et noircir le texte. Les mots semblaient me sauter à la gorge :

« UNE FOULE EN FURIE »

« BANNISSEMENT »

« LE ROI EST FURIEUX »

« EN PRISON ! »

J'avais besoin d'air. Je me suis retourné pour tomber face à face avec Hilda, l'une des infirmières les plus redoutables du Centre de réhabilitation. J'ai sursauté.

« Je ne sais pas où tu crois aller, fit-elle d'un air bourru, mais le roi veut te voir. »

J'ai saisi le rebord de la table et j'ai senti mes jambes céder sous mon poids.

3 avril

Lorsque j'ai repris mes esprits, j'ai réalisé que je me trouvais dans l'aile hospitalière. Paul était assis près de moi.

« Ne t'en fais pas, m'a-t-il dit. Tu as juste perdu connaissance. »

Juste perdu connaissance ? Pourquoi les gens disent-ils une chose pareille ? "Tu as simplement perdu conscience et tu t'es effondré sur le sol." Ah oui ? C'est tout ?

« Pas étonnant que je perde connaissance, lui ai-je dit. Le roi veut me voir. Le roi. Tu sais ce que ça veut dire, non ? Ça veut dire que je serai enfermé dans la tour la plus élevée ou dans le donjon le plus lugubre pendant les cent prochaines années ! »

« Pas nécessairement », a répondu Paul (de façon très peu convaincante). « Il veut peut-être… »

« … Me serrer la main ? Me tapoter le dos ? Me remercier pour avoir englouti le bétail aux quatre coins du royaume ? »

« Cette attitude ne mène à rien », m'a repris Paul avec son plus beau ton de thérapeute. « Je reviendrai au petit matin pour discuter, lorsque tu auras les idées plus claires. »

Génial. Exactement ce dont j'ai besoin.

6 avril

Après quelques jours de «repos forcé» (traduction : un endroit d'où tu ne peux t'échapper lorsque Paul te casse les oreilles avec sa psycho pop) et de bols de bouillon de légumes pour «reprendre des forces» (traduction : te remplir suffisamment le ventre pour que tu ne sautes pas à la gorge de la première créature que tu aperçois quand ils te laisseront finalement sortir d'ici), Paul m'a conduit devant le roi.

Maturin nous attendait à l'extérieur de la salle du trône. Il a remué son doigt devant moi, le visage écarlate. «Écoute-moi bien, le grand. Aucune folie, c'est bien compris ? »

Je n'ai rien compris, et Paul avait l'air aussi confus que moi. La porte de la salle du trône s'est ouverte et une voix s'est fait entendre. « Entrez »

« Moi, je vais vous attendre ici de pied ferme », a ajouté Maturin d'un air bourru tandis que nous pénétrions à l'intérieur.

7 avril

J'ai peine à écrire et j'ai de la difficulté à garder les yeux ouverts. Tous les muscles de mon corps me font souffrir. J'ai passé toute la journée à travailler à la ferme de Maturin, et cet homme me traite comme un esclave. Il a vraiment failli me tuer. Il devrait y avoir des lois pour nous protéger.

J'ai transporté des ballots de foin et des sacs de grains ; j'ai nettoyé les étables des vaches et les écuries des chevaux, j'ai arrosé et frotté la cour ; j'ai peint les poulaillers ; j'ai labouré un champ ; j'ai réparé une clôture ; et j'ai tondu un troupeau entier de moutons.

C'est l'idée brillante du roi. Il veut m'enseigner « la responsabilité sociale et le respect des autres ». La bonne nouvelle, c'est que j'ai le droit de rentrer chez moi à condition que je rencontre Paul tous les jours, mais il s'agit d'une mince consolation compte tenu que j'ai de la peine à me pencher pour prendre mon bain, et que je dois être debout à 4 h du matin.

La perspective de vivre dans un donjon sombre et profond ne me paraît pas si mal à présent.

14 avril

Ce soir, Maturin m'a tendu une enveloppe tandis que j'essayais tant bien que mal de rentrer chez moi en boitillant. Je m'attendais à y trouver une longue liste de corvées à effectuer pour le lendemain matin, mais je me trompais. Il m'arrive parfois d'avoir de la chance. C'était mon salaire. Maturin a même admis à contrecœur que j'avais fait du bon travail. Il ne s'attendait pas à ce que je tienne toute la semaine.

J'ai ouvert l'enveloppe et j'ai rangé les pièces d'or dans ma poche. Encore mieux. Quand je lui ai dit : « On se voit demain aux aurores », le vieux fermier a secoué la tête. « Non. Le roi m'a dit qu'aujourd'hui c'était ta dernière journée. »

J'ai réussi à rentrer chez moi malgré la douleur. Lorsque je suis arrivé, j'ai été surpris de voir l'un des Trois Petits Cochons qui attendait anxieusement sur le pas de ma porte. Plus je m'approchais, plus il tremblait de peur. Il se cachait derrière un grand parchemin portant le sceau royal qu'il m'a aussitôt tendu pour que je le lise.

Jugement royal

Samson Cochon devra
habiter avec **Balthazar J. Loup**
pendant une période d'au moins
cent jours, ou pour toute la
durée de la reconstruction
de son domicile, qui a été
détruit par M. Loup. Toute
blessure infligée à M. Cochon
par M. Loup mènera
directement à l'incarcération
dudit M. Loup dans la tour
de Rapunzel pendant
au moins cent ans.

Le roi

J'ai jeté un regard inquiet en direction du cochon qui avait l'air d'un idiot effrayé, puis vers sa petite valise rouge, puis encore vers le manuscrit. Il devait s'agir d'une erreur.

Mais non. Samson (apparemment, ce cochon a un nom) a fini par m'expliquer en bégayant que le roi l'avait convoqué ce matin-là pour lui indiquer qu'il était impossible pour les Petits Cochons de vivre à trois dans une seule maison de briques et qu'ils ne respectaient pas les règlements du conseil. Après que Samson eut expliqué la situation au roi, ce dernier l'a contraint à venir vivre avec moi.

Samson semblait terrifié. Il s'est agenouillé et m'a supplié de ne pas le manger.

« Relève-toi », lui ai-je dit avant de déverrouiller la porte et de la lui ouvrir. « Je ne vais pas te manger. » Puis je l'ai suivi à l'intérieur en me léchant involontairement les babines.

25 avril

« Alors, comment ça se passe avec Samson ? » m'a demandé Paul.

« Ça va », ai-je répondu en haussant les épaules.

« Tu n'as pas du tout été tenté... ? »

J'ai secoué la tête.

« Très bien », a dit Paul avant de prendre des notes dans un carnet. « Tu as fait beaucoup de progrès, Balthazar. »

J'ai encore haussé les épaules. Je n'allais certainement pas admettre devant Paul que vivre avec Samson était... disons... VRAIMENT GÉNIAL !

Il est vrai qu'au début, j'avais de grandes réticences, et je crois que Samson avait encore plus de doutes que moi (c'est compréhensible), mais après quelques jours, j'ai réalisé que j'aimais bien l'avoir chez moi. Il est un cuisinier hors pair ! Une semaine de pâtés au navet et à l'orge, de patates rôties et de ragoûts aux légumes et quenelles m'a fait oublié mes tendances carnivores. Samson m'a même enseigné comment faire cuire du pain ! Mais ce n'est pas seulement sa cuisine que j'apprécie ; c'est aussi sa compagnie. C'est beaucoup plus agréable de regarder le football à l'auberge du Cygne (qui s'appelait autrefois l'auberge du Vilain Petit Canard) avec un pote pour célébrer les buts de notre équipe préférée.

26 avril

J'ai passé la journée à aider Samson et ses frères Graham et Neil à construire de nouvelles maisons pour remplacer celles que j'ai détruites. Ils m'ont appris comment mélanger le ciment et comment le lisser entre les briques avec une truelle.

Ils m'ont ensuite montré comment siffler les filles qui passent, ce qui s'est révélé très amusant jusqu'à ce que Bo Peep frappe Neil sur le groin.

Pour dîner, nous nous sommes assis pour déguster des sandwichs au fromage et de la soupe aux tomates bien chaude que nous avions transportée dans des thermos. Même si j'ai travaillé fort, j'ai beaucoup aimé intégrer une équipe et apprendre des tas de nouvelles choses. Le mieux dans tout ça, c'est qu'en aucun moment je n'ai eu envie de manger l'un des cochons.

En rentrant chez moi, j'ai dû m'arrêter voir Paul. Il a dit que j'ai vraiment changé et qu'il ferait de bonnes recommandations au roi dans son compte rendu mensuel.

30 avril

Ce matin, au réveil, je me suis rendu compte que la machine à laver coulait. Je suis entré dans la cuisine inondée pour éteindre ce stupide appareil d'un bon coup de pied. Je l'ai achetée il y a peu à la Mère-Grand et je crois qu'elle a abusé de ma confiance.

Samson est entré dans la cuisine avec un air endormi et m'a demandé ce qui n'allait pas. Il a vite compris lorsqu'il a perdu pied sur l'une des tuiles humides. Il a bâillé et a ramassé les vêtements trempés qui jonchaient le sol. Il m'a dit qu'ils les apporteraient chez Graham et Neil pour les faire sécher. C'est à cela que servent les amis.

Au moment où je m'apprêtais à passer la vadrouille une dernière fois sur le plancher, Samson est arrivé en trombe dans la cuisine. Son visage était encore plus rose que d'habitude et il était à bout de souffle. Il a attendu quelques minutes avant de me dire ce qui n'allait pas : Graham et Neil n'étaient pas à la maison. « Ne t'inquiète pas, lui ai-je dit, ils sont sûrement allés au marché. »

Samson a alors secoué la tête. « Tu ne comprends pas, m'a-t-il lancé en me saisissant par le bras. Je crois qu'ils se sont fait kidnapper ! »

J'ai observé le visage tordu de peur de Samson et je n'ai pu m'empêcher de sourire. « Mais qui kidnapperait un cochon ? » lui ai-je demandé avec un air incrédule. « Des tonnes de gens, m'a répondu Samson. Livredecontes est rempli de vilains personnages : la Méchante Reine, la Sorcière, le Nain Tracassin, le Grand Méchant L... »

« Merci », ai-je rétorqué d'un ton morose. Samson s'est efforcé de me remonter le moral. Il m'a dit que cela n'avait rien de personnel, et que c'était plus une question d'habitude : quand on entend « méchant », on pense immédiatement au loup. J'imagine qu'il a raison. J'ai fait semblant de ne pas en être affecté, car je tenais avant tout à rassurer Samson au sujet de ses frères. J'ai donc mis de l'eau à bouillir. J'étais convaincu qu'il y avait une explication logique à leur disparition.

J'ai rangé la vadrouille dans un coin et j'ai saisi la bouilloire. « Tu veux du thé ? » lui ai-je demandé. Mais Samson ne m'a pas répondu. Il était trop occupé à fixer d'un air horrifié le journal du jour qui reposait sur la table de la cuisine. Il a

soulevé le journal de ses pattes tremblantes et a
pointé la manchette.

Un dragon a été
aperçu en bordure
de Livredecontes.

Les autorités recommandent
aux habitants de rester
à l'intérieur.

« Balthazar, m'a-t-il dit en se tournant vers moi,
j'ai un très mauvais pressentiment. »

MAI

1er mai

Nous nous sommes précipités vers la maison de briques. Samson m'a dit qu'on n'avait pas vu de dragon dans le coin depuis deux cents ans. Il soufflait, haletait et avait de la difficulté à avancer (ironiquement, je me sentais très bien ; je réalise que j'ai plus de souffle et que je n'éprouve aucune difficulté à respirer).

Plus nous nous rapprochions des fondations de la nouvelle maison, plus je croisais mes doigts dans l'espoir que les cochons s'y trouvent, en train de travailler gaiement. Je les imaginais se moquer de nous lorsque nous leur raconterions qu'on s'était imaginé qu'ils s'étaient fait kidnapper par un dragon.

Lorsque nous sommes arrivés sur le site désert, Samson a retrouvé son souffle et s'est tourné vers moi. « Tu vois, je te l'avais bien dit ! » J'ai couru jusqu'à l'avant de la maison, Samson me suivant de près.

Avant même d'avoir atteint l'allée centrale, j'ai vu la porte qui grinçait d'un air sinistre en balançant hors de ses gonds. Samson et moi sommes entrés à l'intérieur d'un pas hésitant. Du verre brisé et des assiettes à déjeuner reposaient sur le sol ; un fauteuil avait été renversé et plusieurs coussins étaient déchirés, envoyant des plumes virevolter aux quatre coins de la pièce. La télévision était encore allumée et une tasse de thé reposait sur la table du salon. J'ai touché la tasse : elle était encore chaude.

Les chambres situées à l'étage étaient intactes. La salle de bain était propre et bien rangée, et tous les lits avaient été faits. Un pyjama rayé avait été plié et déposé soigneusement sur chacun des lits. J'ai jeté un coup d'œil dans l'un des garde-robes. Les vêtements étaient suspendus sur de petits cintres bien alignés et deux valises reposaient côte à côte sur l'étagère.

Au moment de quitter la pièce, je suis arrivé face à face avec Samson. J'ai sursauté et j'ai porté ma main à ma poitrine. J'ai cru faire une crise cardiaque. Je lui ai chuchoté que si ses frères avaient décidé de partir en voyage, ils n'avaient pas emporté grands bagages. Il s'est demandé tout haut s'il s'agissait vraiment de l'œuvre du dragon. Il est vrai que si un dragon avait fait intrusion dans le village et avait kidnappé ses frères, il y aurait des témoins et des tonnes de témoignages, car il est impossible qu'un dragon puisse passer inaperçu! Un bruit en provenance du rez-de-chaussée nous a fait sursauter. Nous avons descendu les marches sur la pointe des pieds.

J'ai aperçu Blanche-Neige qui me pointait du doigt en hurlant: «Regardez! Il est là! Nous l'avons pris sur le fait! Où se trouvent les deux autres cochons, espèce de brute?»

La foule qui s'était rassemblée dans le salon hochait la tête en murmurant des choses telles que: «Je suis sûr qu'il est coupable!» et «Sinon, que ferait-il ici?» Maturin m'a piqué la poitrine avec une fourche avant de me demander ce que j'avais fait des cochons disparus. J'ai essayé en vain de leur dire que je venais tout juste d'arriver moi aussi, mais personne ne voulait m'écouter.

«Livrons-le au roi!» s'écria quelqu'un. J'ai ensuite senti qu'on me soulevait de terre et qu'on me transportait à l'extérieur. Frère Jacques m'a hissé sur son épaule et j'ai tout de suite demandé de l'aide à Samson. Qu'il leur dise que je n'avais rien fait et que j'avais changé, mais il n'arrivait pas à m'entendre à cause des cris de la foule.

Lorsque nous sommes arrivés aux portes du palais, Josh, l'un des serviteurs du roi, s'est avancé vers nous pour savoir ce qui n'allait pas. Frère Jacques m'a fait tomber lourdement sur le sol avant d'expliquer avec un air niais (qui lui va si bien) : « Nous venons livrer le Grand Méchant Loup au roi. Il a dévoré trois des Deux Petits Cochons. »

« Deux des Trois Petits Cochons », corrigea Blanche-Neige. « Nous exigeons qu'il soit puni, tel que le roi l'a ordonné. »

Samson s'est alors avancé vers moi. « Attendez, fit-il. C'est une erreur. Balthazar n'a mangé personne. Mes frères se sont fait kidnapper, et nous croyons que leur assaillant est un dragon ! »

J'ai regardé Samson avec un air reconnaissant. La foule a poussé une exclamation de surprise, mais Blanche-Neige les a fait taire d'un geste de la main avant de s'avancer vers Samson.

« Premièrement : qui est Balthazar ? Et deuxiè-mement : quel dragon ? La présence d'un dragon près de la frontière est basée sur une rumeur qui n'a jamais été confirmée. »

« Je suis Balthazar », ai-je dit à la foule. (Honnêtement, je n'en peux plus de me faire appeler le Grand Méchant Loup.) « Écoutez… »

« AAAAH ! » s'est aussitôt écrié le Petit Chaperon rouge en se levant d'un bond. « Gardez cette brute loin de moi », a-t-elle dit en pleurnichant avant de se blottir dans les bras du bûcheron.

Josh a essayé de reprendre le contrôle de la situation, mais tout le monde s'est mis à parler en même temps. « Le roi n'est pas au palais en ce moment, s'écria-t-il. Le Grand Méchant L… » il s'interrompit. « Balthazar passera la nuit dans le donjon et je le livrerai au roi à la première heure demain. »

Je n'arrivais pas à en croire mes oreilles. Mon innocence importait peu et mes explications semblaient tomber dans l'oreille d'un sourd. Compte tenu de l'animosité de la foule, je me suis dit qu'il valait mieux obéir à Josh. Je les ai laissés me guider jusqu'au cachot. Le petit Samson m'a promis de venir me chercher au matin.

Je ne suis pas impressionné par leurs standards de sécurité. Un gardien insolent (on ne peut plus désagréable) m'a demandé de lui remettre tous mes effets personnels, m'a volé deux pièces d'or et m'a remis un sac de papier, un ticket déchiré et un pâté dégoûtant. Il a au moins accepté de me laisser mon journal intime. Mince consolation. Puis il m'a guidé vers ma « chambre ».

Je n'arrive pas à croire que je suis enfermé ici. Les murs, le plancher et le plafond sont faits de pierres sombres, froides et humides, et une planche accrochée au mur par deux chaînes épaisses fait office de lit. La chambre possède une petite fenêtre bloquée par des barreaux, mais elle est trop haute pour que je puisse voir quoi que ce soit. Et il n'y a pas de toilette.

Je pensais que chaque cellule avait au moins sa toilette. Lorsque j'en ai fait la remarque au gardien, il s'est contenté de pointer en direction… d'un seau situé dans le coin de la cellule. Lorsque je lui ai dit qu'il n'y avait pas de papier hygiénique, il m'a regardé avec un air mesquin et m'a suggéré d'utiliser mon journal. Il m'a ensuite fermé la porte au nez. Et voici où j'en suis.

J'ai plié mon veston pour me fabriquer un oreiller et je me suis étendu sur le lit de bois. Plus j'y pense et moins je suis convaincu qu'un dragon a dévoré Neil et Graham. Nous aurions sûrement trouvé des traces de sang ou de la salive de dragon, mais nous n'avons rien vu. Et pourquoi un dragon aurait-il voulu les kidnapper ?

2 mai

À l'aube, j'ai entendu des clés dans la serrure et le même gardien arrogant que la veille m'a tendu une assiette de rôties et une tasse ébréchée de chocolat chaud (ou plutôt de chocolat tiède). Je lui ai demandé à quelle heure j'allais pouvoir parler au roi. Il m'a répondu que je ne lui parlerais pas.

Le roi a prolongé son voyage, et je pourrai peut-être le voir demain, s'il est là.

Ils ne peuvent pas me laisser pourrir ici... Je n'ai rien fait ! Cet endroit est minable (et sent mauvais). J'ai commencé à manger mes rôties, mais j'ai réalisé qu'elles étaient criblées de trous de dents. Le gardien m'a dit que ce devait être une souris. Ouais. Bien sûr. Et c'est une souris qui a couvert son menton de miettes et de beurre.

4 mai

Je suis ENCORE ici. C'est absolument ridicule. Lorsque je sortirai, je porterai plainte au roi. Je raconterai peut-être même mon histoire aux journalistes. Je suis innocent et j'ai été séquestré et harcelé. Il s'agit d'une grave atteinte à mes droits d'animaux et je ne compte pas en rester là. Je me demande si je pourrais faire imprimer des t-shirts clamant :

5 mai

Je. M'ennuie. À. Mourir.

6 mai

J'ai dormi d'un sommeil très agité, et je me suis fait réveiller au petit matin par le bruit des chevaux et d'un carrosse. Les trompettes se sont mises à jouer en fanfare. Le roi était arrivé.

Le gardien est apparu à ma porte. « Allez, m'a-t-il dit sèchement. Le roi veut te voir. »

Une foule qui s'était rassemblée devant les cachots s'est mise à me huer et à me lancer des objets de toutes sortes lorsque je suis sorti. Une tomate pourrie m'a atteint en plein visage. Boucle d'or a ensuite brandi un micro sous mon museau.

« M. Loup, a-t-elle fait. Qu'avez-vous à dire au sujet de la disparition des Deux Petits Cochons ? Est-ce vrai que vous prétendez qu'un dragon est le vrai coupable ? »

« Aucun commentaire », ai-je répondu en crachant des graines de tomate.

Les soldats du roi ont repoussé la foule, tandis que Josh m'escortait jusqu'au palais. Samson m'attendait près des portes. Il s'est précipité vers moi, l'air inquiet. Il m'a dit qu'il s'était fait du mauvais sang pour moi puisque les gardiens n'avaient rien voulu lui dire. Il leur a répété que je n'avais rien à voir dans la disparition de ses frères, mais ils n'avaient rien voulu entendre.

« Merci de m'avoir défendu, Samson », lui ai-je dit d'un air reconnaissant avant de le suivre dans la fraîcheur du palais.

7 mai

Grâce à Samson, la rencontre avec le roi s'est mieux déroulée que je ne le croyais. Il m'a défendu comme si j'étais son meilleur ami depuis toujours. Il devrait laisser tomber la construction et devenir avocat ! Je suis en état d'arrestation pour une semaine en attendant que le roi évalue « tous les éléments de preuves », incluant les comptes rendus de Paul faisant état de mes progrès au Centre de réhabilitation pour les carnivores. Ce qui devrait m'être favorable. Je suis fatigué de devoir me défendre envers et contre tous, et ça fait du bien d'avoir l'appui de Samson et de Paul.

Le roi a engagé les services de Millie & Bo, une entreprise de détectives privés menée par Bo Peep et Mildred Fontaine (l'une des demi-sœurs de Cendrillon), et j'espère qu'elles découvriront quelque chose qui m'aidera à prouver mon innocence et à rétablir ma réputation une fois pour toutes.

Je me sens coupable d'avoir été si égocentrique au lieu de me préoccuper de Samson. Il est vraiment inquiet à propos de ses frères. Je ne sais pas ce que c'est d'avoir une famille unie, mais je suis sûr que ce doit être extrêmement difficile pour lui en ce moment.

14 mai

Paul est un sale traître ! Je n'arrive pas à croire qu'il se soit présenté devant le roi pour lui dire que c'était tout à fait plausible que j'aie mangé les cochons. Deux gardes du roi ont dû me retenir pendant son témoignage. « Comment peux-tu dire une chose pareille ? me suis-je écrié. J'ai changé, et tu le sais mieux que quiconque ! »

Paul n'arrivait même pas à me regarder dans les yeux. Il s'est mis à radoter quelques trucs au sujet d'une mince amélioration, mais il a poursuivi en disant que ce serait peu réaliste de croire que j'avais complètement dominé ma dépendance à la viande. Selon son « opinion professionnelle », je pouvais succomber à la tentation. Il a même prétendu que j'étais capable de me lier d'amitié avec les cochons, de gagner leur confiance et de les manger. Il a ensuite baissé la tête. De honte, j'imagine bien.

Quel imbécile !

Je n'arrêtais pas de me pencher vers lui et de le traiter de menteur. Et que dire de Samson? Pourquoi ne l'ai-je pas mangé, lui aussi? Paul n'a pas répondu. Le roi a ordonné qu'on me fasse sortir de la pièce et les gardes du roi m'ont entraîné à l'extérieur. « J'ai la mémoire longue », ai-je rugi en passant près de Paul.

Un soldat m'a poussé au soleil et m'a ordonné de me taire. Il m'a dit que je n'améliorerai pas mon cas en proférant des menaces. Ha! En quoi mon cas peut-il empirer?!

Mildred et Bo Peep ont à leur tour témoigné devant le roi. Elles sont entrées dans le palais et Samson, qui m'attendait patiemment, m'a frappé vivement derrière la tête. Il était vraiment en furie.

« Veux-tu passer les cent prochaines années enfermé dans une tour? Les chances sont minces pour qu'un Prince Charmant vienne te libérer! »

J'admets qu'il a raison.

Un gardien est enfin apparu devant nous. « Grand Méchant Loup, a-t-il dit, le roi a pris une décision. »

15 mai

Je ne suis pas enfermé dans un cachot ni dans une tour, et je n'ai pas non plus été banni. Je dois toutefois capturer un dragon.

Il semble que Bo Peep et Mildred aient découvert un élément intéressant dans la maison de briques.

« C'est quoi, ce truc ? » ai-je demandé à Mildred, lorsqu'elle m'a montré un objet brillant en forme de demi-lune.

C'était apparemment une griffe. Ils feront des tests d'ADN afin de déterminer s'il s'agit bel et bien d'une griffe de dragon. Des témoins racontent aussi avoir aperçu un dragon rôder près de la forêt de Livredecontes. Jack et Jill l'ont vu du sommet de leur colline ce matin. Samson est devenu tout pâle, et il leur a demandé s'ils avaient aussi vu ses frères. Mildred a essayé de le réconforter en lui disant que selon les témoignages, le dragon était seul.

Samson est convaincu qu'ils sont en vie. C'est en partie grâce à lui si je ne suis pas condamné à passer cent ans dans une prison. Le roi était prêt à m'enfermer dans la tour de Rapunzel, et ce, malgré la griffe et les bons mots du cochon. Il a dit qu'il se devait de tenir compte des compétences et de l'expérience de Judas (autrement connu sous le nom de Paul) ; les craintes de celui-ci reflétant celles des autres sujets du roi, et que leur bien-être était prioritaire.

C'est ce qui arrive quand on souffre d'une mauvaise réputation. Pourquoi ai-je mangé la grand-mère du Petit Chaperon rouge ? Pourquoi ai-je soufflé sur la maison de paille et la maison de bois ? Pourquoi ai-je triché lors d'un examen de mathématiques en 1re année ?

Je commençais sérieusement à croire qu'on ne me pardonnerait jamais mes erreurs, lorsque j'eus une idée. Après tout, je n'avais rien à perdre. Et si je réussissais à prouver que j'étais bel et bien innocent ?

J'ai demandé à parler au roi avant que Josh et ses autres gardes ne m'enferment dans la tour.

« Votre Majesté, que diriez-vous si je trouvais le dragon et si je le forçais à tout avouer ? Et si j'arrivais à temps pour sauver les Deux Petits Cochons ? Je pourrais prendre la griffe que Millie et Bo Peep ont trouvée pour vérifier s'il en manque une sur la patte du dragon. »

« Mais tu pourrais mourir », m'a dit le roi.

« Vous voulez m'enfermer dans une tour pendant cent ans, je ne vois pas où est la différence », ai-je répliqué. Je ne crois pas qu'on puisse être trop désespéré dans une telle situation.

Josh s'est porté à mon secours. Il a pris son courage à deux mains et a dit au roi que j'avais raison, et que Livredecontes ne pouvait se permettre de compter un dragon parmi ses habitants. Il a poursuivi en disant que la population était déjà effrayée et que ce n'était qu'une question de temps avant que l'industrie du tourisme en soit affectée. Par ailleurs, il semble que les autres gardes du roi menacent de faire la grève si le souverain leur ordonne de chasser le dragon : ils prétendent que cela n'est pas inscrit dans leur contrat de travail.

Samson a décidé d'y mettre du sien. « Ça vous coûtera une fortune pour engager des chevaliers assez courageux pour faire le travail, tandis que nous, nous vous offrons de le faire gratuitement. »

Je ne m'attendais pas à ça. J'ai regardé Samson d'un air étonné, mais il semblait très déterminé. Il a dit que si ses frères étaient en vie, il voulait aider à les retrouver.

C'est ainsi que je suis devenu un chasseur de dragon. Le roi a déclaré que si je revenais à Livrede-contes avec des preuves assez incriminantes pour confondre le dragon et prouver mon innocence, alors il accepterait de m'accorder son pardon. Par contre, si je ne retrouvais pas le dragon, je ne recouvrerais jamais la liberté. Cent ans dans la tour de Rapunzel. Je ferais mieux de m'y mettre tout de suite et de retrouver cette horrible bête cracheuse de feu. Génial.

JUIN

10 juin

Après avoir passé les trois dernières semaines à manger des fèves au lard en conserve et à dormir inconfortablement sous une tente usée jusqu'à la corde, je suis presque prêt à m'avouer vaincu. J'ai souvent rêvé que je parcourais la forêt, que je surprenais la bête et que je la capturais, puis que je la ramenais à Livredecontes avec un air triomphant sous les applaudissements de la foule. Je me suis imaginé les filles qui pleuraient de joie et qui me demandaient toutes en mariage, et aussi qu'on me remettait la médaille du courage pendant que les gardes du roi érigeaient une statue en mon honneur. On décréterait peut-être même le « Jour de Balthazar ».

Mais ce n'est que mon imagination. Jusqu'à maintenant, nous n'avons pas même aperçu la trace d'une crotte de dragon, sans parler du reste.

Tout ce que j'ai réussi à attraper, c'est un refroidissement à cause de la bruine incessante, et des cloques à cause de l'herbe à poux, parce que j'ai eu la brillante idée de remplacer le papier hygiénique par des feuilles...

« À la soupe ! » s'est écrié joyeusement Samson ce matin. Encore des fèves au lard. Et il paraît que c'est la dernière conserve. Ensuite, tout ce qu'il nous restera, c'est un paquet de croustilles au sel et vinaigre, deux pommes, une moitié de sandwich au beurre d'arachide et un biscuit au chocolat. En plus, la moitié du sandwich commence à devenir verte. Beurk.

Samson tenait absolument à bouger avant qu'il ne recommence à pleuvoir. Nous avons donc remballé nos affaires et nous nous sommes enfoncés dans les profondeurs de la forêt. Plus nous nous éloignions de Livredecontes, plus il faisait froid. J'ai dû relever mon col pour me protéger du vent cinglant. Quant à lui, Samson marchait d'un pas décidé. L'espoir que ses frères soient sains et saufs lui donnait la force de poursuivre la route. Je ne sais plus trop ce qui me pousse à continuer. Peut-être Samson. Je ne cesse de penser à la fois où je me suis assis sur les marches, dans la grande ville, avec mes frères et mes sœurs pour attendre mon père. J'étais rempli d'espoir. Je me demande si c'est ainsi que Samson se sent. Je crois que je tiens non seulement à prouver mon innocence, mais aussi à montrer à tous que j'ai vraiment changé. Ces deux sentiments me poussent beaucoup plus que la menace d'être enfermé dans une tour pendant cent ans.

Cette forêt me fait peur. Les arbres sont tellement serrés les uns contre les autres que la lumière du jour parvient à peine à faire son chemin. Nous avons dû nous buter à des centaines de racines et éviter des tonnes d'arbustes épineux. Samson devait s'arrêter à tout bout de champ pour enlever les petits cailloux qui se plantaient dans ses pieds lorsqu'il marchait dans les tas de feuilles.

Puis est revenue l'heure de s'installer pour passer la nuit. J'avais tellement faim que je n'arrivais pas à penser clairement. Samson dit que je ne pense qu'à mon estomac.

J'admets que je ne suis pas fier de la quantité de plaintes que j'ai pu formuler au cours des derniers jours, mais Samson doit comprendre que je suis le genre de gars à manger chaque jour trois repas complets et de nombreuses collations ; il y a quelques mois, je l'aurais croquer si je m'étais retrouvé dans la même situation. Ça ne fait aucun doute. « Pouvons-nous arrêter quelques instants pour grignoter quelque chose ? » lui ai-je demandé, le regard rempli d'espoir.

« D'accord, a répondu Samson. Que préfères-tu ? Le chocolat ou les croustilles ? »

« Les croustilles », ai-je murmuré, espérant avoir droit aux deux.

Dès que j'ai eu terminé d'avaler les dernières miettes grasses de croustilles, j'ai regretté de ne pas avoir choisi le chocolat. J'ai toujours envie de sucré après avoir mangé salé. J'ai regardé Samson, les yeux pleins d'espoir. « Pas question », a-t-il répondu, en avalant les dernières graines. « Tu ne m'as rien laissé. »

Cochon égoïste.

En levant les yeux, j'ai aperçu entre les arbres une maison qui m'était familière. Était-ce vraiment... ?

La maison en pain d'épices !
Hourra ! Nous pourrons prendre
quelques briques et peut-être
même une ou deux bordures de
fenêtre afin de survivre encore quelques jours.

« Es-tu tombé sur la tête ? » a crié Samson
en me tirant par la manche. « Une sorcière
habite ici. »

J'ai hoché la tête. « Non ! Hansel et Gretel l'ont
poussée dans le four, tu te souviens ? »

« Oui, m'a répondu Samson, mais il paraît que
la sorcière qui a racheté la maison est encore plus
horrible que la précédente. Elle ne prend même
pas le temps de t'engraisser avant de te dévorer ;
elle te prendra tel quel ! »

Bon point. Nous avons fait demi-tour pour
trouver un endroit où monter la tente. Nous avons
opté pour une clairière non loin de là. À peine
avais-je mis le pied dans la clairière que des sirè-
nes ont retenti et qu'un filet est tombé sur moi et
m'a soulevé dans les airs. Samson a essayé de fuir,
mais il a rapidement été repéré par un énorme
projecteur. « Arrêtez ! On ne bouge plus ! » s'est
écriée une grosse voix bourrue. Super.

11 juin

Je me suis bien reposé et j'ai enfin pu manger à ma faim. Notre chance est que Samson et moi sommes entrés sur la propriété des Trois Ours. Ils ont intensifié leurs mesures de sécurité depuis l'épisode de Boucle d'or, et le filet était l'une de leurs « mesures préventives » pour éviter qu'une autre intrusion se produise. (D'ailleurs, je trouve ça un peu injuste que les citoyens de Livredecontes soient prêts à tout pour me bannir ou m'incarcérer et qu'ils aient pardonné à Boucle d'or, même si elle a véritablement terrorisé ces pauvres ours. Elle a même réussi à décrocher un poste d'intervieweuse à la télé. C'est ce qui arrive quand on est jeune, blonde et jolie.)

Papa Ours est loin d'être satisfait de la situation. Il dit que ça le rend malade de voir son visage souriant chaque soir à la télé. Avec tout ce qu'elle leur a fait vivre! Bébé Ours en fait encore des cauchemars.

J'ai entamé mon troisième bol de gruau. Qui sait quand aurai-je la chance de manger de nouveau autant? Nous devons partir bientôt. Papa Ours n'est pas très confiant quant à notre mission.

Il dit que s'il y avait un dragon dans la forêt, il l'aurait sans doute remarqué. Nous avons toutefois appris quelque chose d'intéressant en discutant avec lui. Samson a demandé à Papa Ours s'il avait vu quelque chose de suspect, et il semble que ce soit le cas.

Il y a de cela quelques semaines, il a aperçu une silhouette vêtue d'une grande cape marcher dans les bois avec sa lessive. Ils ne voient presque jamais personne dans les environs, alors il a trouvé cela plutôt bizarre. Je lui ai demandé s'il était certain qu'il s'agissait de lessive. « Oui, m'a répondu Papa Ours. Le personnage transportait un gros sac. Quoique c'était peut-être du bois d'allumage… C'est difficile à dire. »

Ou alors, il s'agissait des Deux Petits Cochons…

12 juin

J'étais triste de quitter la maison et l'hospitalité des Trois Ours. Maman Ours a eu la gentillesse de nous préparer des sandwichs au fromage pour la route. Nous avons ensuite poursuivi notre quête dans la forêt.

Après avoir marché quelques heures, nous avons remarqué que les arbres commençaient à s'espacer légèrement et le chemin devenait plus rocailleux. La pluie qui tombait presque continuellement depuis le début de notre aventure était encore plus insupportable sans le couvert des arbres. Nous étions maintenant très loin de Livredecontes, mais toujours aucune trace d'un dragon.

Je ne pouvais me faire à l'idée que le dragon ait disparu, car cela signifiait que je devrais passer ma vie en cavale ou alors que je serais emprisonné. Je ne savais pas du tout quelle option était la pire.

« Même si je dois marcher le reste de mon existence, je finirai par les retrouver », s'exclama soudain Samson.

Il s'était arrêté au bord d'une falaise escarpée et contemplait la vallée jaunie et broussailleuse entrecoupée d'une rivière qui serpentait à l'horizon. « Le paysage est plus verdoyant par là », a-t-il dit en pointant vers les prés luxuriants qui se déployaient de l'autre côté.

J'ai alors pris une décision : j'allais l'accompagner jusqu'au bout. Samson fut tout ému lorsque je lui ai annoncé ma résolution. Soyons honnêtes :

je n'ai aucune raison de revenir au village les mains vides. Samson est la première et la seule personne qui m'aime tel que je suis depuis que je suis tout petit. Il m'a pardonné et m'a offert son amitié malgré le fait que j'aie anéanti sa maison et que j'aie essayé de le manger.

Mon estomac s'est mis à gronder, ce qui a interrompu notre moment d'hypersensibilité émotive. Il était l'heure de déguster ces sandwichs au fromage. Samson a pointé en direction d'une grotte où nous pourrions enfin nous protéger de la pluie. Nous nous sommes assis sur le sol à l'entrée de la caverne et nous avons retiré la pellicule plastique qui couvrait les sandwichs. Ça faisait du bien d'être à l'abri quelques instants.

« Ce sandwich est trop mou », ai-je dit après avoir pris une bouchée. « Ce sandwich est trop dur », a rétorqué Samson. Nous avons échangé nos lunchs. « Ce sandwich est parfait ! », avons-nous dit à l'unisson.

Nous nous sommes ensuite tus pour écouter la pluie qui tombait sur les rochers. Seul le bruit de notre mastication se faisait entendre. Mon estomac a soudain émis un autre grondement sourd qui a résonné très fort dans la grotte.

« Oups, ai-je dit en riant. Je ne l'ai même pas senti ! »

« Balthazar, a fait Samson en écarquillant les yeux. Je ne crois pas que c'était ton ventre ! »

12 juin (plus tard)

J'ai mis un certain temps à rassembler le courage nécessaire pour aller inspecter la grotte. Samson a saisi ma manche pour m'en empêcher, mais je lui ai dit que ses frères se trouvaient peut-être à l'intérieur.

Je dois avouer que je n'ai jamais eu aussi peur de toute ma vie ; pas même quand je me suis fait poursuivre par ce bûcheron cinglé. J'ai fait quelques pas vers le fond de la grotte et je suis revenu vers l'entrée en courant lorsqu'un autre grondement sourd s'est fait entendre.

« Alors, tu y vas ou quoi ? » m'a demandé Samson (je le trouve un peu effronté ; après tout, il n'a même pas offert d'y aller, et ce sont SES frères qui se trouvent peut-être là !) J'ai commencé à fouiller dans le sac à dos pour trouver une lampe de poche en espérant qu'il ne puisse voir à quel point je tremblais.

J'ai éclairé la grotte ; elle était beaucoup plus profonde que je ne le croyais et se divisait en trois tunnels. J'ai marché vers celui de gauche et j'ai soulevé ma lampe pour éclairer l'ouverture.

« Quel tunnel tu prends ? » m'a soudain demandé Samson d'une voix vive qui m'a fait sursauter. J'ai entendu un souffle rauque dans le couloir central, suivi d'un grognement terrifiant. Je me sentais malade. Samson m'a jeté un regard apeuré et j'ai craint qu'il s'évanouisse.

Après avoir marché pendant cinq minutes, j'ai constaté que le tunnel s'élargissait avant d'aboutir dans une salle.

Le dragon reposait sur le sol et dormait à poings fermés.

Samson a émis un cri d'effroi et j'ai rapidement posé ma main sur sa bouche pour l'empêcher de réveiller la bête, mais sans succès. Le dragon a ouvert grand sa gueule pour émettre un bâillement, et j'ai failli m'évanouir en apercevant ses dents aussi tranchantes qu'une scie. Samson n'a pu se retenir. Le dragon a rapidement tourné la tête vers nous lorsqu'il a entendu le bruit sourd du cochon qui frappait le sol. Il m'a ensuite regardé froidement avec ses yeux jaunes. La bête s'est approchée de moi jusqu'à ce que sa gueule soit à quelques centimètres de mon museau, puis il a lâché un cri perçant et terrifiant. J'ai fermé les yeux, en attente du pire.

« Balthazar ! Qu'est-ce qui lui arrive ? » J'ai rouvert les yeux et j'ai aperçu Samson qui se relevait. Il a pointé en direction du dragon qui s'était recroquevillé dans un coin pour pleurnicher. Je n'avais aucune idée de ce qui se passait, mais j'ai rassemblé mon courage pour m'approcher un peu plus près de la créature hystérique.

« JE NE VEUX PAS QU'IL S'APPROCHE DE MOI ! » hurla aussitôt le dragon en se pressant contre la paroi de la grotte. Cet immense dragon, qui possédait une face grotesque, de grandes ailes luisantes et des dents effrayantes semblait être terrifié par la présence de Samson.

J'ai demandé nerveusement au cochon de s'approcher de la bête. Mon ami m'a alors traité de tous les noms, le plus poli étant « espèce de dingue ». Je lui ai demandé de m'obéir.

Samson a fait un petit pas vers le dragon, qui s'est mis à hurler à nouveau. « Je ne rigole pas ! a-t-il dit. Je ne veux pas que cette ignoble créature s'approche davantage ! »

Pas besoin d'être un génie pour comprendre que ce dragon n'avait pas kidnappé Graham et Neil.

14 juin

Le dragon nous a préparé du thé en nous racontant qu'il avait tout fait pour se débarrasser de sa phobie. Hypnothérapie, aromathérapie, hydrothérapie, acupuncture… mais rien n'a fonctionné. Il était encore terrorisé par les cochons et presque tous les animaux de la ferme : les moutons, les poules, les chèvres…

Samson voulait naturellement connaître les circonstances de la disparition de ses frères, et il ne semblait pas convaincu par l'histoire du dragon. Il a ramassé une casquette de baseball décorée de la lettre « N » qui reposait près de là et l'a brandie vers la gueule du dragon, qui a aussitôt sursauté.

« C'est étrange, car cette casquette appartient à Neil, a dit Samson. Explique-toi. »

J'ai tressailli à mon tour et je me suis retourné vers le dragon. J'étais convaincu de son innocence.

« Je l'ai trouvée dans la forêt, a-t-il répondu.

Je te le jure ! Je l'ai gardée à cause de la lettre N. Je m'appelle Nigel. »

Je ne savais pas trop si je devais le croire ou non. Mais qui inventerait un nom pareil ?

« Je pense que c'est la créature à la cape qui l'a perdue », a poursuivi Nigel.

« Quelle créature à la cape ? » ai-je demandé sur un ton suspicieux. « Le Petit Chaperon rouge ? »

(En plein ce dont j'ai besoin ; un autre face à face avec elle). Mais il ne s'agit apparement pas du Chaperon rouge. Nigel nous a dit qu'il avait aperçu un individu vêtu d'une cape noire à capuchon, Il était beaucoup plus grand que le Petit Chaperon rouge. Il était très robuste ; il se déplaçait à grandes enjambées, marchait d'un pas lourd et transportait un sac.

Je me suis aussitôt souvenu de la description de Papa Ours : « Une silhouette portant une longue cape et qui marchait dans la forêt avec…

« Un sac de lessive ? » ai-je demandé à Nigel.

« Je ne crois pas non… à moins que ses vêtements bougent et émettent des grincements », a-t-il répondu.

« Graham et Neil ! » s'est écrié Samson.

« Où as-tu vu cet étrange personnage pour la dernière fois ? » l'ai-je encore questionné.

Nigel a ramassé nos tasses de thé. « Venez, a-t-il dit. Je vais vous montrer. »

15 juin

Le sentier menant vers la vallée était escarpé, parsemé d'embûches et jonché de pierres. Nous nous sommes arrêtés à mi-chemin et Nigel a pointé en direction de la prairie vers laquelle l'inconnu s'était dirigé.

Samson s'est accroupi sur le sol en bordure du sentier. « Balthazar, a-t-il dit. Regarde ça ! »

De larges empreintes griffues marquaient la terre boueuse. La griffe du gros orteil gauche manquait visiblement à l'appel. J'ai tout de suite sorti un bout de tissu de mon sac d'une patte tremblante, et j'ai déballé la grosse griffe recourbée que Bo Peep nous avait remise. Elle n'appartenait pas au dragon ; elle appartenait plutôt… « à l'horrible troll qui habite sous le pont », chuchota Samson d'un air terrifié.

JUILLET

1er juillet

Nous avons passé les semaines suivantes à réfléchir et à mettre un plan sur pied. Ce n'est déjà pas facile de sauver deux cochons des mains d'un dragon, alors que dire de celles d'un troll? C'est une autre histoire. Je n'en ai jamais vu de ma vie, mais Nigel m'a assuré que tout ce que j'ai lu et entendu à leur sujet est véridique.

Il paraît que les trolls n'ont pas d'appétit vorace même s'ils se rapprochent des ogres, mais en moins imposants. Ils sont extrêmement forts et ont une mâchoire assez puissante pour tout réduire en poussière. C'est ce que nous a raconté Nigel pendant qu'à l'intérieur de sa grotte, nous préparions notre périple. Il nous a aussi dévoilé une information tout à notre avantage : les trolls sont presque complètement sourds. Nigel a dit que pour contrebalancer la faiblesse de leur ouïe et de leur vue, ils avaient un odorat extrêmement développé. Ce troll pourrait donc nous sentir approcher avant même que nous ayons franchi la moitié de la prairie. Super!

Nigel a toutefois eu une idée. Il a proposé de nous enduire le corps avec du crottin de dragon pour camoufler notre odeur et nous aider à atteindre le pont suspendu sans nous faire repérer. D'accord!

Samson a dit qu'il préférait prendre ses précautions avec le troll. Je suis d'accord avec lui; après tout, il a peut-être déjà dévoré Graham et Neil. Ils ont disparu depuis des semaines.

Nigel croit toutefois qu'il est impossible que le troll les ait déjà mangés, puisque ces êtres ne se nourrissent qu'une fois tous les six mois. Un troll a l'habitude de rôder la nuit près des villages et de capturer des passants avant de les enfermer sous terre et de les nourrir. Lorsque ses proies deviennent assez charnues, il se gave et dort pendant les semaines que dure sa digestion. Appétissant!

Samson a fait remarquer que ses frères se trouvaient sûrement dans le garde-manger de la bête. C'est à ce moment-là que Nigel nous a proposé de nous frictionner avec du crottin de dragon et d'aller les secourir dans le repaire du troll. Il nous a aussi donné quelques pistes. Après avoir longuement réfléchi, Nigel nous a indiqué qu'il existait sûrement une entrée de tunnel sous le pont, près de la rive, et que nous devrions attendre la tombée de la nuit avant de nous y faufiler. Les trolls sont sensibles à la lumière et évitent celle du jour le plus possible. Notre troll devrait logiquement sortir à la tombée de la nuit pour chercher de la nourriture, et c'est à ce moment que nous pourrions nous faufiler à l'intérieur.

« Y a-t-il autre chose que nous devrions savoir ? » ai-je demandé, avide d'obtenir un renseignement quelconque qui puisse nous aider à nous en sortir sains et saufs.

Nigel a réfléchi quelques instants. « Les trolls détestent l'eau. Ils ne savent pas nager », a-t-il dit.

« Alors je ne comprends pas sa décision d'habiter sous un pont, en bordure d'une rivière », a fait remarquer Samson tout bas.

J'ai ignoré son commentaire et je me suis tourné vers le dragon. « Nigel, ai-je dit, je crois que nous pourrons y arriver, mais nous avons besoin de ton aide. »

5 juillet

Je me suis enfin habitué à l'odeur du crottin de dragon, qui ne me dégoûte plus autant ; je ne peux pas en dire autant de Samson. Ce matin, je l'ai surpris près d'un étang en train de se frotter les pieds. J'ai dû hurler pour qu'il s'arrête. Je ne sais pas s'il sera capable d'endurer ça encore long-temps, en plus du mauvais sang qu'il se fait pour ses frères.

J'estime que nous aurons atteint le pont suspendu dans quelques jours, mais ça dépend évidemment du temps que nous mettrons pour traverser les hautes herbes. Quand je les obser-vais du bout du sentier, je ne me doutais pas que les herbes étaient aussi hautes, mais lorsque nous avons campé en bordure des champs, j'ai remarqué en les regardant battre au vent qu'elles s'élevaient bien au-dessus de nos têtes.

Samson est de mauvaise humeur depuis que nous avons quitté la grotte. Il déteste marcher et croit que Nigel aurait dû nous faire voler en nous transportant sur son dos jusqu'au pont. J'ai essayé de lui faire comprendre que l'effet de surprise serait un échec si le troll apercevait un immense dragon venant nous déposer au pas de sa porte. J'ai toutefois des préoccupations plus urgentes, comme les Petits Pollens qui, selon Nigel, ont établi domicile dans les hautes herbes.

Nigel nous a bien dit que les Petits Pollens sont si minuscules qu'on ne peut les distinguer; malgré leur taille, ils provoquent tout de même de terribles désagréments. Il vaut donc mieux traverser les hautes herbes au cours de la nuit, période durant laquelle nous sommes le plus susceptible de croiser le troll. Après en avoir longuement discuté avec Samson, nous avons décidé d'affronter les herbes en plein jour. Samson croit que les Petits Pollens ne sont qu'un mythe; et même s'ils existent vraiment, les petits ne mangent pas les grands! Je préfère des êtres microscopiques à un immense et effroyable troll.

6 juillet

Les Petits Pollens ne sont PAS un mythe. Mes yeux piquent et chauffent et mon nez coule sans arrêt. Ce pauvre Samson n'arrête pas d'éternuer et de renifler. Nous avions tant de difficulté à poursuivre notre route que nous avons décidé de faire une pause près d'un cours d'eau. Même si c'est essentiel de rester couverts de crottin, nous avons plongé notre tête dans l'eau, ce qui a grandement soulagé les démangeaisons causées par les petites bêtes et amélioré notre confort. Notre visage est presque propre. Hier soir, nous avons monté la tente parmi les herbes les plus denses que nous avons pu trouver dans l'espoir que le troll ne puisse nous voir s'il passait par là. Ça semble avoir fonctionné.

Je me demande comment ça va à Livrede-contes. Est-ce que le roi croit que je ne suis pas encore revenu parce que je suis coupable ? Est-ce que Paul persiste à dire que je suis un carnivore incorrigible ? Est-ce que Boucle d'or a trouvé d'autres histoires scandaleuses à raconter sur mon compte ? J'ai l'impression d'être parti depuis des millions d'années. Ils m'ont probablement tous oublié.

9 juillet

Nous avons mis plus de temps que prévu pour traverser les hautes herbes en raison de nos arrêts fréquents. Hier, les yeux de Samson étaient si enflés qu'il avait peine à les ouvrir. Résultat : nous n'avons pas avancé d'un cheveu ! Heureusement qu'aujourd'hui, nous avons fait beaucoup de progrès et nous ne sommes plus qu'à quelques mètres du pont. Il ne nous reste plus qu'à attendre la tombée de la nuit.

10 juillet

Aujourd'hui, nous avons réussi à sauver Neil et Graham. Le seul hic, c'est que nous ne sommes plus « aujourd'hui » ; les événements se sont déroulés il y a environ trois semaines, et j'essaie de rassembler les morceaux du casse-tête et de remettre le fil des événements en ordre chronologique.

Je me souviens que nous nous sommes assis dans le champ et que nous avons observé le pont à travers les hautes herbes après la tombée de la nuit. Samson n'arrêtait pas de me chuchoter des trucs à l'oreille. Il était planqué derrière moi et n'arrivait pas à voir ce qui se passait ; je devais donc lui faire des comptes rendus toutes les deux minutes. Au début, il n'y a rien eu à signaler puisqu'il faisait nuit depuis peu. Le troll ne sortirait peut-être qu'à minuit.

Je me suis tourné pour jeter un coup d'œil vers Samson qui me regardait, la mine basse. J'ai soupiré, j'ai compté jusqu'à cent, puis j'ai écarté les touffes d'herbes pour reprendre mon inspection. J'ai eu la frousse de ma vie quand j'ai réalisé que le troll ne se trouvait qu'à quelques pas de nous.

« Il est là », ai-je sifflé entre mes dents avant de pivoter et de plonger sur Samson.

Le troll est passé parmi les herbes à quelques centimètres de nous. Je pouvais entendre ses griffes pointues qui labouraient lourdement le sol.

« Je ne crois pas qu'il nous ai vus », ai-je dit avec un soupir de soulagement.

« Ôte-toi de là ! » s'est écrié Samson d'une voix étouffée en me repoussant.

Je me suis retourné vers le pont. L'endroit était désert. J'ai attendu de ne plus entendre le troll avant d'enfiler rapidement mon sac à dos et de quitter les lieux pour me rendre sur le rivage illuminé par la lune. Nous nous sommes étendus sur le sol en pressant notre ventre contre la vase humide et froide. Un hibou s'est mis à hululer du haut d'un arbre et Samson a failli mourir de peur. J'ai dû poser ma patte sur son épaule pour le calmer. Nous avions besoin de reprendre nos esprits pour trouver l'entrée du repaire du troll.

J'ai regardé autour de moi pour m'assurer que nous étions seuls, puis j'ai indiqué à Samson de me suivre le long du rivage. Le Petit Cochon a perdu pied et s'est affalé de tout son long sur le sol, manquant de tomber dans un trou très profond.

Samson s'est ensuite mis à grommeler tout bas. « Je suis prêt à tolérer le crottin de dragon, mais il y a des limites à tout ! J'ai failli tomber dans cet énorme… » Samson s'est interrompu et m'a regardé, les yeux écarquillés. « Ça y est ? Nous l'avons trouvé ? Est-ce que le trou est profond ? »

J'ai ramassé un caillou et je l'ai jeté devant moi, dans le vide. Je ne l'ai pas entendu percuter le sol. J'ai pris une grande inspiration et j'ai lancé le sac à dos et la tente dans le trou avant de m'y précipiter à mon tour, sans trop réfléchir, de peur de flancher.

J'ai entendu les cris terrifiés de Samson qui s'élançait derrière moi quelques secondes plus tard. J'ai atterri directement sur mon épaule qui a émis un horrible craquement. Samson a rebondi sur moi avant de tomber sans problème sur le sac à dos. Il avait l'air furieux ; selon lui, c'était la chose la plus bête, la plus dangereuse et la plus irresponsable que j'aie pu faire. Il a arrêté de me gronder lorsqu'il a vu mon visage se tordre de douleur et m'a demandé si tout allait bien.

« Ça va », ai-je menti en grimaçant, tandis que j'essayais de ramasser la tente. « Mais il vaudrait peut-être mieux que tu transportes ça toi-même. »

Samson a ramassé nos bagages et nous avons ensuite observé les lieux : nous nous trouvions dans une petite pièce faiblement éclairée par une lampe à huile. Cette dernière reposait dans un coin près d'un immense tas d'ossements. Samson s'est rapproché de moi.

« Allons vite chercher Graham et Neil et fichons le camp d'ici ! » lui ai-je chuchoté.

J'ai pris la lampe à huile et je l'ai soulevée dans les airs. Nous avons alors aperçu à l'extrémité opposée de la pièce un étroit corridor dans lequel nous nous sommes aussitôt aventurés. Des portes en bois verrouillées se trouvaient de part et d'autre du passage, et chacune d'elles disposait d'une petite lucarne ornée de barreaux d'acier. J'ai jeté un coup d'œil dans les pièces. J'étais soulagé que Samson soit trop petit pour voir à l'intérieur, puisqu'elles renfermaient toutes une pile d'ossements.

Nous avons soudain entendu un écho étrange résonner au loin. Nous nous sommes immobilisés pour mieux entendre les cris qui nous semblaient de plus en plus familiers : c'était le bruit des moutons !

Nous avons parcouru le couloir à toute vitesse en direction des cris et j'ai jeté un coup d'œil par l'une des fenêtres. Sept ou huit moutons étaient entassés dans une cellule autour d'une énorme botte de foin. Ils mastiquaient et bêlaient joyeusement, inconscients du sort tragique qui les attendait.

Certains d'entre eux faisaient partie du troupeau que Bo Peep avait vendu à Maturin. Quand ses moutons avaient disparu, tout le monde avait cru que j'avais quelque chose à voir là-dedans. J'ai aperçu aussi des poules près du troupeau; lorsque ces dernières s'étaient éclipsées, on m'avait aussi accusé de les avoir mangées.

«Il y a également des chèvres, me lança Samson, et un âne, et… Balthazar!» s'écria-t-il tout à coup. Ils sont là! Je les ai trouvés!»

Graham et Neil se trouvaient dans le tout dernier cachot. Ils étaient attachés de la tête aux pattes, et avaient une pomme dans la gueule. Samson s'est mis à rouer la porte de coups, mais ses frères étaient bloqués à l'intérieur.

J'ai regardé autour de moi pour trouver une pierre ou tout autre objet pouvant m'aider à casser le cadenas, mais sans succès. J'ai alors eu une idée. J'ai demandé à Samson de me tendre la griffe du troll qui était dans le sac à dos.

Samson me l'a tendue, et j'en ai glissé l'extrémité pointue dans la serrure, en appuyant jusqu'à ce que cette dernière cède. Samson s'est empressé de détacher ses frères et ils se sont enlacés longuement. Neil et Graham avaient l'air confus et en état de choc; Samson leur a donc rapidement expliqué comment nous les avions retrouvés. «C'est grâce à Balthazar tout ça, a-t-il dit. Je n'aurais jamais réussi sans son aide.»

Graham m'a remercié et m'a serré la patte (ce qui m'a fait TRÈS mal à l'épaule) avant de nous encourager à prendre la fuite. « Il faut y aller, a-t-il lancé. Le troll ne part jamais bien longtemps. »

J'ai déverrouillé les autres portes et les animaux ont commencé à envahir le couloir. Nous en étions à la partie la plus incertaine de notre plan. Nous avions demandé à Nigel de nous attendre près du trou avec une longue corde. Je n'avais pas prévu qu'il y aurait autant d'animaux hurlants, bêlants et beuglants dans ce repaire. Ça risquait de traumatiser Nigel pendant des années.

Nigel avait déjà passé sa tête par l'embouchure du trou. Il s'est mis à trembler en voyant la pièce remplie d'animaux de ferme. « Je ne pourrai jamais y arriver, s'est-il écrié. C'est impossible. »

« Bien sûr que si ! ai-je répondu. Tu as besoin d'affronter tes peurs. Tu n'as qu'à me tendre le bout de la corde. Lorsque tu sentiras trois petits coups, tu devras tirer très fort. »

Nous avons mis un temps fou à attacher chaque animal à la corde et à convaincre Nigel de le hisser jusqu'à la surface, puis ce fut enfin notre tour. Je suis remonté le dernier. Lorsque j'ai enfin touché terre, je me suis tourné vers les animaux qui s'éloignaient. Ils avaient déjà entamé le long chemin du retour et s'apprêtaient à traverser les hautes herbes pour rentrer à Livredecontes.

Samson craignait pour leur vie, mais Nigel lui a assuré qu'il veillerait à ce qu'ils rentrent sains et saufs au bercail. Nigel était guéri ! Il m'a ensuite fait remarquer que j'avais moi aussi vaincu ma dépendance à la viande : je voulais sauver ces animaux, et je n'ai jamais été tenté d'en manger un seul.

11 juillet

Lorsqu'un plan de sauvetage se déroule aussi bien, il est naturel de craindre le pire par la suite. Nous n'avons pas eu à attendre bien longtemps. J'ai l'impression d'écrire le scénario d'un film.

Tandis que les Trois Petits Cochons et moi nous apprêtions à grimper sur le dos de Nigel, nous avons entendu les moutons sonner l'alerte des profondeurs des hautes herbes. Le troll est soudain apparu devant nous en grognant et en hurlant, tout en brandissant un mouton dans chacune de ses mains.

« Je crois que nous avons des ennuis », s'est écrié Samson, tandis que le troll lançait les animaux terrifiés sur le sol avant de se frapper la poitrine avec ses poings.

Samson n'avait pas tort.

Août

1er août

C'est la première fois que j'arrive à écrire depuis longtemps. Je me suis réveillé en me sentant flotter dans un univers blanc et froid. J'avais de la difficulté à tenir mon crayon, et encore plus à me concentrer sur la page. Je n'avais aucune conscience du temps. Je me souviens d'avoir passé plusieurs jours au lit ; Nigel veillant à mon chevet. Il déposait des gouttelettes d'eau dans ma gueule asséchée et nettoyait le sang qui ornait ma fourrure. Je suis complètement épuisé.

2 août

Aujourd'hui, ça va mieux. On a pansé mon épaule endolorie et je ne suis plus étourdi. Lorsque j'ouvre les yeux, j'arrive à voir Nigel au lieu des nuages flous et des oiseaux qui chantent.

3 août

Nigel a été un garde-malade hors pair. Au début, je n'arrivais qu'à me remémorer les premières étapes de notre mission, mais depuis que j'ai avalé des repas complets et que mon épaule a été soignée, les souvenirs refont surface.

Je me souviens d'avoir atterri dans l'herbe de l'autre côté de la forêt qui borde Livredecontes. Au loin, je parvenais à discerner les gardes à cheval du roi qui avançaient parmi les arbres. Je ne savais pas si tout le monde avait réussi à s'échapper ou si le troll avait fait des victimes. La douleur lancinante que je ressentais au visage m'a rappelé la force de son coup de poing. Je crois que j'en ai perdu au moins une dent. Les grosses mains trapues du troll semblent peut-être maladroites, mais lorsqu'il s'élance à toute vitesse, elles peuvent frapper fort !

Nigel et Samson m'ont affirmé que tout le monde s'en était tiré indemne. Samson s'est lui aussi fait assommer, mais il s'en est vite remis. Il était surtout inquiet à mon sujet.

« Qu'est-ce qui est arrivé ? m'a-t-il demandé. Nous étions convaincus que le troll allait te tuer, et lorsque j'ai repris conscience, tu n'étais plus là… »

Je me souviens d'avoir poussé Samson sur le dos de Nigel et d'avoir essayé de grimper à mon tour. « Vas-y, Nigel ! Avance ! » me suis-je écrié. Mais lorsque le dragon a commencé à battre des ailes, j'ai perdu pied et je suis tombé. Samson a crié mon nom et a essayé de me rattraper.

Nigel a voulu me hisser sur son dos à l'aide de son museau, mais le troll a aussitôt lancé une pierre sur sa tête, et nous avons entendu un bruit assourdissant. Je me souviens d'avoir vu les yeux de Nigel s'enfoncer dans son crâne et sa tête s'écraser contre le sol, tandis que sa langue pendait sur l'herbe.

Les Trois Petits Cochons et moi-même avons ensuite jeté un regard horrifié en direction du troll, puis nous nous sommes mis à hurler. Samson, Graham et Neil ont glissé en bas du corps inconscient de Nigel et nous nous sommes précipités vers le rivage, le troll toujours à nos trousses.

Graham a suggéré de plonger dans la rivière, puisque le troll ne pouvait pas nager. J'ai toutefois remarqué que le courant était trop fort et risquait de nous emporter. J'ai ensuite perçu la présence de la griffe lisse et froide du troll dans ma poche, ce qui m'a donné une idée.

Mais le troll m'a aussitôt soulevé de terre et j'ai atterri comme un tas de chiffons au beau milieu du pont. Je me suis mis à trembler lorsque j'ai vu la créature monter sur la structure. Son ombre gigantesque m'enveloppait tout entier. Il a approché son visage si près du mien que je parvenais à voir chaque cicatrice, chaque verrue et chaque pustule qui ornaient sa peau. J'étais mort de trouille. Je pouvais voir le reflet de mon visage apeuré dans ses gros yeux jaunes. Le troll m'a reniflé, puis a ouvert grand sa gueule avant de pousser un grognement terrifiant. Il a projeté des particules de salive chaude sur mon visage ; son haleine sentait la viande pourrie.

Derrière lui, je voyais les Trois Petits Cochons qui observaient la scène d'un air horrifié. Des yeux, j'ai essayé de leur faire signe de fuir, mais ils sont restés là. Le troll s'est retourné pour voir ce que je regardais. Je me suis alors projeté sur le dos et j'ai frappé ses genoux de toutes mes forces à l'aide de mes pattes arrière. Le troll est tombé par terre en hurlant. J'en ai profité pour me relever. « COUREZ ! » me suis-je écrié à l'endroit des cochons. Mon cri a semblé les sortir de leur transe. « ALLEZ CHERCHER DU SECOURS ! »

Graham et Neil sont partis tout de suite, mais Samson a semblé hésiter. « Ça nous prendra des jours pour retourner à Livredecontes. »

« Essaie de réveiller Nigel, lui ai-je dit. Ou rends-toi chez les Trois Ours pour voir s'ils ont un téléphone pour appeler les gardes du roi ! »

Je me suis mis à courir sur le pont pour atteindre l'autre rive, mais j'ai senti les doigts du troll m'agripper la poitrine et me soulever du sol avant que je ne puisse atteindre l'autre côté. J'ai essayé de mordre l'un de ses doigts calleux (à y penser, j'ai envie de vomir), et il m'a laissé tomber à nouveau sur le sol. Je venais à peine de me relever lorsque le troll m'a infligé un solide coup de poing sur la mâchoire. Je me suis aussitôt retrouvé sur le dos à cracher mes dents.

Sur l'autre rive, Nigel commençait peu à peu à reprendre ses esprits. J'ai crié son nom, tandis que le troll m'attirait vers lui en me tirant par la cheville. Nigel a lentement tourné la tête vers moi avant de vaciller et de s'évanouir une fois de plus.

Le troll m'a entraîné sur le pont, mais en tendant la main, j'ai empoigné l'une des cordes de soutien. Il a grogné et a tiré plus fort sur ma patte arrière. J'ai tiré la griffe dans ma poche et j'ai essayé de tailladder la corde. Le monstre a tiré une fois de plus sur ma patte et la griffe m'a échappé et est tombée dans la rivière.

J'ai fermé les yeux et j'ai attendu qu'un miracle se produise. Où sont les Fées Marraines, les génies et les dragons lorsqu'on a besoin d'eux? Il n'y avait aucune chance que les Trois Petits Cochons reviennent à temps; nous étions à des kilomètres de Livredecontes, et même s'ils réussissaient à transmettre un message à Josh et aux autres gardes du roi, ceux-ci n'arriveraient jamais à temps pour me sauver. Tout le monde apprendra que je suis un héros, mais je ne serai même plus là pour célébrer ma propre gloire.

C'est à cet instant que j'ai décidé que je ne laisserais pas cet horrible troll hideux, souffrant de mauvaise haleine et de graves problèmes d'acné, m'empêcher de célébrer la journée fériée qui sera instaurée en mon honneur. Je me suis tortillé pour me mettre sur le dos et j'ai frappé le troll avec ma patte libre. Il a aussitôt lâché ma cheville et j'en ai profité pour bondir sur mes pieds.

Même si je n'étais pas parvenu à couper complètement la corde de soutien du pont avec la griffe, j'avais tout au moins réussi à entamer sa résistance. À cause de nos mouvements de va-et-vient, il n'en restait que quelques brins intacts. Le pont s'est mis à remuer dangereusement lorsque le troll a essayé de me pousser par-dessus bord. Le monstre a alors reculé avec un air surpris et j'en ai profité pour le pousser. Il est tombé sur les genoux et s'est agrippé désespérément aux lattes de bois du pont suspendu.

C'est alors que j'ai eu une brillante idée. Je me suis accroché fermement à l'une des cordes et j'ai pris une profonde inspiration pour remplir mes poumons d'air. Le troll m'a regardé et a secoué la tête pour me supplier. J'ai alors soufflé très fort sur les cordes, qui ont cédé une à une. Le pont a basculé, projetant aussitôt le troll hurlant dans la rivière glacée. J'ai sauté pour atteindre la rive escarpée, et j'ai senti mes griffes s'enfoncer dans la terre boueuse. J'ai essayé de me hisser jusqu'en haut de la falaise, mais la glaise trop molle s'est désagrégée sous mes pattes. J'ai regardé l'eau qui tourbillonnait en dessous. Je savais que je ne nageais pas assez bien pour me rendre jusqu'à la rive opposée ; j'allais vite être emporté par le courant. Il ne me restait plus qu'à me tenir très fort au flanc de la falaise.

Mon épaule, affaiblie par ma mauvaise chute dans le repaire du troll, s'est alors mise à trembler et j'ai perdu prise d'une patte. J'ai essayé de tenir bon avec l'autre, mais je sentais que la terre cédait de plus en plus sous mes griffes. Je crois que j'ai alors crié à Nigel de m'aider, mais j'avais peine à entendre ma voix tant ma tête bourdonnait.

C'est alors que j'ai réalisé que j'allais tomber ; mon esprit s'est mis à divaguer sur les choses que je n'aurais jamais l'occasion de faire, comme avoir un bon emploi ou être invité à une fête. Je ne verrai plus jamais ma mère ni ma famille, et je n'aurai jamais la joie d'affronter Paul, de lui tirer la langue et de lui prouver que j'avais raison.

Et surtout, je n'aurai jamais la chance de dire à Samson qu'il est mon meilleur ami.

J'ai baissé tristement la tête. Une larme a coulé sur mon museau avant de tomber dans la rivière. Mon cœur battait si fort dans ma poitrine que j'arrivais à en entendre les battements : « Boum boum, boum boum, boum boum ». Au moment où je m'apprêtais à abandonner tout espoir et à lâcher prise, j'ai réalisé qu'il ne s'agissait pas des battements de mon cœur, mais plutôt des sabots de chevaux qui se rapprochaient. J'ai d'abord cru que j'avais perdu la tête, mais les bruits se sont intensifiés et j'ai entendu une voix s'écrier : « Il doit bien se trouver quelque part ! » Samson !

« Sam… » ai-je essayé de dire en perdant prise. Mon ami m'a alors saisi la patte. « Balthazar ! » s'est-il exclamé en souriant. Puis, tout est devenu noir.

╂ août

Hier fut le plus beau jour de ma vie, car j'ai enfin cessé d'être le « Grand Méchant Loup ».

Nigel a plongé vers le sol tandis que nous approchions de Livredecontes. En bas, je parvenais à distinguer tous les gardes du roi qui avançaient parmi les arbres, guidés par Josh. Ils étaient suivis des Trois Petits Cochons à dos d'âne et par un regroupement de moutons, de chèvres et d'autres animaux. Le village entier semblait s'être rassemblé sur la place principale. Boucle d'or était postée devant les caméras, un micro à la main. Blanche-Neige et les Sept Nains faisaient partie de la fête avec leurs instruments de musique, et je pouvais distinguer le roi en grande conversation avec Paul.

Les gens ont enfin aperçu Nigel dans le ciel et se sont mis à applaudir. « Bal-tha-zar ! Bal-tha-zar ! » criaient-ils tous. Ça m'a pris un certain temps pour réaliser qu'ils scandaient mon nom. Ce n'était plus le "Grand Méchant Loup"; ils m'acclamaient par mon vrai nom.

Les gardes à cheval du roi ont ensuite émergé de la forêt, suivis de Samson, de Graham et de Neil. Nigel s'est posé à leurs côtés et m'a aidé à descendre de son dos. La foule s'est à nouveau mise à crier et à applaudir en nous accueillant avec des milliers de petits confettis multicolores.

Blanche-Neige a couru vers moi et m'a embrassé sur la joue, tandis que le bûcheron m'a fermement serré la patte.

« Balthazar J. Loup, m'a dit alors Boucle d'or, qu'est-ce que ça fait d'être un héros ? »

« Hum, ce n'était rien… », ai-je répondu avec modestie.

La foule s'est écartée pour laisser passer le roi, qui s'avançait vers moi. « Balthazar, je te prie d'accepter mes plus humbles excuses. Par la présente, je t'offre mon pardon royal », m'a-t-il dit en me tendant un parchemin.

Les cris de joie ont repris de plus belle, tandis que les Trois Petits Cochons me hissaient sur leurs épaules et me transportaient parmi une foule de visages souriants.

10 août

Il y a quelques mois, les gens de Livredecontes voulaient me bannir du village ou m'emprisonner à perpétuité. Aujourd'hui, c'est une toute autre histoire.

Je reçois des bouquets de fleurs toutes les demi-heures – le dernier m'a été livré en mains propres par le Prince Charmant.

Depuis que nous sommes revenus, ma chambre est constamment remplie de fleurs, de paniers de fruits et de ballons. Un peu plus tôt aujourd'hui, quelqu'un a frappé à la porte et Samson est revenu quelques secondes plus tard avec une immense assiette de muffins; c'est un cadeau de la part du Petit Chaperon rouge.

« Est-ce que tu veux une tasse de thé pour accompagner tes muffins ? » m'a demandé Samson.

« Ça va, lui ai-je répondu, je m'en occupe. » J'ai repoussé ma couverture et je me suis assis sur le sofa. Ma tête s'est mise à tourner.

« Comment te sens-tu ? » a continué Samson.

« Mieux », lui ai-je menti. J'ai mal partout.

« Tant mieux », m'a vivement répondu mon ami en prenant un cahier noir que je n'avais jamais vu avant sur la table de salon. « Le Canal Cinq veut une entrevue, ainsi que la Chaîne Féerique. Les deux veulent l'exclusivité, alors je crois qu'on ferait mieux d'attendre et voir qui nous fait la meilleure offre. » Il s'est mis à feuilleter quelques pages avant de pointer le papier d'un air joyeux. « Un représentant des produits de beauté Envoûtant a téléphoné; ils veulent discuter avec toi pour savoir si ça t'intéresse de jouer dans une publicité pour les barres tendres Princesses ; c'est un concept de type "bouffe pour les héros".

J'ai regardé Samson d'un air perplexe.

« Imagine-toi avec un pied sur un troll vaincu. Tu croques une bouchée de la nouvelle barre tendre Princesses en faisant un sourire gagnant à la caméra, puis tu dis : " La collation préférée de Balthazar J. Loup, tueur de troll extraordinaire !" »

J'ai roulé des yeux et je me suis recouché. Je n'ai jamais mangé ces barres de ma vie, mais Samson m'a dit que personne n'était obligé de le savoir. Il m'a ensuite décrit une douzaine d'autres demandes d'entrevues et d'offres de boulot que j'avais reçues. Samson est apparemment devenu mon agent.

15 août

« Nous avons poursuivi notre course parmi les hautes herbes. Nous étions à bout de souffle, racontait Graham. Et au moment où nous croyions que tout était perdu, nous avons aperçu un âne. »

« Un âne ? » a demandé la lutine d'un air confus. Elle était l'animatrice de *L'Heure du Héros*, à la Chaîne Féerique.

« Oui ! L'âne que nous avions secouru dans le repaire du troll, a poursuivi Neil. Nous avons galopé à vive allure jusqu'à la maison des Trois Ours et Papa Ours a aussitôt téléphoné aux gardes du roi, qui sont arrivés en deux temps trois mouvements. »

« C'est vrai que les chevaux du roi peuvent courir à une vitesse légendaire, a ajouté la lutine. Et vous, quel rôle avez-vous joué dans cette mission héroïque ? a-t-elle demandé à Nigel en battant de ses cils argentés.

Nigel est devenu tout rouge. « Quand j'ai repris conscience, j'ai entendu Balthazar crier mon nom, mais je me sentais si étourdi que je me suis à nouveau évanoui. Quand je me suis réveillé, j'étais entouré des gardes du roi ; Balthazar avait réussi à lui seul à vaincre le troll.

La lutine s'est tournée vers moi en me faisant un sourire éclatant, et j'ai dû répéter l'histoire que j'ai racontée à des millions de reprises depuis le jour où nous sommes revenus.

20 août

Aujourd'hui, je n'ai pas eu à faire d'entrevues. Personne n'a appelé, et personne n'a frappé à la porte.

J'ai allumé la télé, mais mon nom n'a même pas été mentionné aux nouvelles.

SEPTEMBRE

1er septembre

Lorsque je me promène dans Livredecontes, les gens me sourient et me saluent de la tête, puis reprennent leur discussion en commentant les rumeurs concernant la grossesse de Cendrillon ; le plan d'agrandissement du palais de Blanche-Neige qui risque de bloquer le soleil aux gens du parc ; et la montée des prix chez le boucher, le pâtissier et le fromager. Plus personne ne parle de trolls ni de sauvetage héroïque. Il n'y a pas eu pas de statue, ni de journée fériée, ni de demandes en mariage. Super.

Les Trois Petits Cochons n'étaient pas très enchantés de reprendre leur train-train quotidien, mais le roi leur a proposé un contrat pour bâtir un nouvel immeuble d'habitation, ce qui leur a permis de se rappeler à quel point ils aimaient leur métier. Je les envie. Je ne sais pas trop ce qui m'attend.

4 septembre

Aujourd'hui, j'ai été voir Paul au Centre. Il n'arrête pas de s'excuser, et je persiste à lui dire que ça ne sert à rien ; ma colère s'est estompée. Je comprends pourquoi il a pu s'imaginer de telles choses.

« Je crois sincèrement que ton traitement est terminé », m'a-t-il dit en me souriant. Ce fut un honneur de t'avoir pour patient. » Puis, il m'a serré la main.

« Et qu'est-ce que je fais avec ça ? » lui ai-je demandé en brandissant mon journal intime devant son visage.

« Viens me le porter lorsque tu auras terminé, a-t-il dit. J'ai très hâte de le lire. »

J'ai eu un petit mouvement de recul en me rappelant certaines bêtises que j'avais écrites à son sujet. « Je… hum… », ai-je bredouillé.

« Ça va, m'a dit Paul en souriant. Je ne m'attends pas à de bons commentaires sur mon compte. »

8 septembre

Aujourd'hui, en rentrant à la maison, j'ai aperçu à l'arrière d'un camion les matériaux de construction pour l'immeuble des Trois Petits Cochons. Samson est venu à ma rencontre pour m'inviter à me joindre à eux pour le souper afin de célébrer leur nouveau contrat. Je crois que ce sera amusant. Il a aussi dit qu'ils avaient une proposition à me faire. Je ne sais pas quoi en penser.

9 septembre

Hier soir, je me suis présenté chez les Petits Cochons avec une tarte au citron et un nœud dans la gorge. J'appréhendais leur proposition. J'étais sûr que ça allait être un truc pour raviver l'intérêt du public au sujet de notre aventure : une téléréalité peut-être ? Une autobiographie ? Un scénario de film ? (Je me demande si Hugh Jackman acceptera de jouer mon rôle.)

Tandis que je dégustais mon flan aux légumes, les frères m'ont fait une proposition à laquelle je ne m'attendais pas du tout. Un cours d'apprentissage ! J'ai failli recracher ma bouchée. (En fait, je crois que j'ai craché un peu, car j'ai surpris Neil en train de retirer des morceaux d'œuf et de brocoli coincés dans son sourcil.)

Les Trois Petits Cochons croient que je serais très doué. J'avoue que j'ai vraiment aimé construire la maison de briques. Nigel a aussi accepté de nous aider. Graham m'a dit qu'il servirait d'échafaudage vivant, et qu'une fois que nous aurions terminé cet immeuble, il pourrait nous transporter aux quatre coins du royaume sur d'autres chantiers de construction.

J'ai regardé leurs trois visages enthousiastes. « D'accord ! » ai-je répondu, excité à l'idée de travailler avec mes amis et de faire partie d'une équipe pour la première fois de ma vie. « J'adorerais travailler avec vous. »

fIN

Qu'est-ce qui te caractérise le plus?

Balthazar est un amoureux de la viande, ce qui lui a valu le titre de "Grand Méchant Loup". Et toi, qu'est-ce qui te caractérise le plus?

1. Un immense dragon t'empêche de passer. Que fais-tu?

a) Tu te jettes au sol et tu attends l'arrivée du brave chevalier.

b) Tu bondis sur cette bête féroce en brandissant courageusement ta hache.

c) Tu prends la fuite ! Tu ne veux surtout pas que ce dragon égratigne ton joli visage.

d) Tu lui coupes la tête et tu retournes au palais pour défiler avec ton trophée de guerre.

2. Chaque personnage de contes de fées possède sa propre devise. Quelle serait la tienne ?

a) Sauve-moi, ô mon brave chevalier, car je ne suis qu'une pauvre demoiselle en détresse.

b) N'ayez crainte, jeune demoiselle, car je vous sauverai !

c) Il faut souffrir pour être belle.

d) Toute publicité est une bonne publicité.

3. On assiste au duel entre
   Lancelot et Ferdinand pour
   la main de la princesse.
   Que fais-tu pendant le duel?

   a) Tu t'évanouis au premier coup d'épée ;
      tu bats des cils et tu espères que
      Lancelot te choisisse à la place de
      la princesse.

   b) Tu prends courageusement la place
      de Ferdinand lorsqu'il se blesse.

   c) Tu te tiens loin derrière pour éviter
      d'être blessé(e).

   d) Tu choisis ce moment pour annoncer
      que tu entreprends un long périple
      pour défier un dragon dans un
      pays lointain.

4. Le château se fait attaquer par un clan d'ogres saccageurs. Que fais-tu?

a) Tu cours vers la tourelle la plus élevée et tu cries à l'aide.

b) Tu te précipites à l'extérieur sans arme pour protéger femmes et enfants.

c) Tu te recroquevilles derrière un baril dans la cave du château.

d) Tu endosses ta plus belle armure et tu galopes à l'extérieur pour guider les troupes.

5. C'est le jour du grand mariage royal. Lancelot attend à l'intérieur de l'église, mais la princesse a disparu. Que fais-tu ?

a) Tu entres dans l'église vêtue de ta nouvelle robe de satin blanc et tu demandes innocemment quelle est la raison du retard.

b) Tu cherches le méchant dragon, tu l'affrontes et tu exiges qu'il te dise ce qu'il a fait de la princesse.

c) Qui a disparu ? Ah, ouais, c'est ta sœur. Bon, tant pis. Au moins, tu es ravissante dans ta nouvelle robe.

d) Tu en profites pour raconter aux invités les péripéties de ton dernier voyage outre-mer.

6. Le roi décrète qu'à partir d'aujourd'hui, tous *les* hommes du royaume doivent porter une épée en tout temps. Que fais-tu?

a) Tu te réjouis, car dorénavant, chaque homme pourra te défendre.

b) Tu protestes : un vrai homme n'a pas besoin d'épée.

c) Tu te plains : une épée ruinera complètement ton look.

d) Tu demandes au forgeron de te fabriquer l'épée la plus puissance et la plus étincelante de tout le royaume.

Réponses du test

Fais le décompte de tes réponses pour savoir ce qui te caractérise le plus…

Si tu obtiens une majorité de A : l'attention !

Tu es une vraie demoiselle en détresse ! Tu adores les chevaliers courageux et forts qui courent à ta rescousse pour te sauver des dragons impitoyables et des ogres aux appétits insatiables.

Si tu obtiens une majorité de B : l'héroïsme !

Tu es aussi courageux que le bûcheron dans le Petit Chaperon rouge : tu es toujours prêt à sauver la situation et à affronter des dragons dans un combat de haches !

Si tu obtiens une majorité de C : l'égocentrisme !

T'es-tu déjà demandé pourquoi le Prince Charmant portait ce nom ? En fait, il passe ses journées entières à admirer son plus grand héros dans le miroir. Ça te dit quelque chose ?

Si tu obtiens une majorité de D : le vedettariat !

Tu es un véritable chevalier de la Table ronde ; tu aimes éblouir les autres et tu adores l'admiration qu'ils te portent, sans parler des apparitions dans des *talk-shows* populaires où tu peux raconter tes péripéties héroïques.

Qui est le coupable?

Une série de crimes ont été commis à Livredecontes. Peux-tu trouver le coupable?

Depuis que Humpty Dumpty est tombé en bas du mur et qu'il n'a pu être recollé, un braconnier en cavale s'est mis à terroriser le village en effectuant une série d'œufs-kidnapping. Le taux d'œufs-kidnapping a atteint un sommet inégalé depuis les cent dernières années. Et depuis que son maire n'est plus là pour la protéger, la communauté des œufs vit constamment dans la peur et la paranoïa !

Un indice important nous aide toutefois à y voir plus clair : une traînée de blanc d'œuf menant jusqu'aux portes du palais a été découverte ; la détective Bo Peep en a ainsi déduit que la dernière victime a dû être attachée et traîné par la peau du cou jusqu'aux cuisines du palais.

Malheureusement, Mildred et Bo Peep n'arrivent pas à découvrir l'identité de l'agresseur, ni à comprendre ses motifs. Leur enquête a donc été interrompue en raison du nombre de pistes brouillées (c'est le cas de le dire).

Sers-toi de tes connaissances féeriques et de ces quelques indices pour découvrir la clé du mystère et l'identité de l'effroyable œufs-kidnappeur !

Suspect A : le roi

Malgré toutes les ressources mises à leur disposition, les gardes à cheval du roi n'ont pas été en mesure de rapiécer Humpty Dumpty. C'est étrange, quand même. Le roi aurait-il une raison secrète de vouloir éliminer Humpty du royaume ?

Suspect B : le cuisinier du palais

Depuis le départ tragique de Humpty Dumpty, des œufs des quatre coins du royaume se jettent en bas des murs en hommage à leur héros disparu. Par conséquent, le prix des œufs a presque triplé. Qui sait, l'approche du concours annuel du meilleur gâteau de Livredecontes a peut-être fait craquer le cuisinier du palais…

Suspect C : la reine de cœur

Elle adore cuisiner des tartelettes, et j'ai entendu dire que depuis qu'elle utilise un nouvel ingrédient top secret, elle attire les foules et fait saliver les passants…

RÉPONSE : Le roi!

Il se trouve que chaque matin, le roi laissait une douzaine d'œufs frais sur le pas de la porte de la princesse afin qu'elle suive l'exemple de sa mère et qu'elle cuisine de délicieuses tartelettes (dans l'espoir secret qu'elles soient assez savoureuses pour attirer un beau prince qui veuille l'épouser, l'entretenir et la tenir éloignée de la carte de crédit de son père).

Humpty Dumpty a surpris le roi en plein œufs-kidnapping lors d'une tournée de surveillance nocturne. Le roi a alors demandé à l'un de ses soldats de se débarrasser de Humpty en le poussant en bas du mur afin d'avoir le champ libre et de pouvoir kidnapper autant d'œufs qu'il le désire. Tu ferais mieux de trouver une bonne façon de déjouer ses plans... sans mettre tous tes œufs dans le même panier!

Profil d'un méchant personnage de contes de fées

Millie & Bo ont établi le profil de chaque résidant de Livredecontes. En voici un petit extrait...

Personnage : l'horrible troll qui habite sous le pont.

Âge : 196 ans.

Statut actuel : il aimerait te manger au petit-déjeuner.

Intérêts : chercher de délicieuses créatures à se mettre sous la dent.

Chanson préférée : *Sur le Pont d'Avignon*.

Degré de méchanceté : très élevé.

Mets traditionnel : porc rôti.

Ennemi juré : le Grand Méchant Loup, qui lui a volé ses provisions de nourriture.

Complice : un troll n'a pas besoin de complice ; il n'a besoin que d'un pont pour être heureux.

Recette de roulés de Mère-Grand

(les roulés sont végétariens : aucune trace de Mère-Grand dans la recette !)

J'ai inventé cette délicieuse recette végétarienne dans le cadre de mon programme de réhabilitation. J'ai ajouté de la confiture de fraises bien rouge en l'honneur du Petit Chaperon rouge à qui j'ai causé beaucoup de chagrin – et aussi parce que je trouve ça délicieux.

Donne de 4 à 6 portions

Ingrédients :

- 480 g de confitures de fraises
- 180 g de farine à levure incorporée
- 175 g de groseilles rouges ou noires
- 90 g de beurre défait en crème
- 15 g de sucre en poudre
- Une pincée de sel
- De l'eau froide pour mélanger le tout

N'OUBLIE PAS DE DEMANDER DE L'AIDE À UN ADULTE LORSQUE TU UTILISES LE FOUR !

Préparation

1. Préchauffer le four à 200 °C (400 °F).
2. Tamiser la farine, le sucre et le sel dans un grand bol.
3. Ajouter les groseilles, le beurre et assez d'eau pour faire une pâte facile à rouler.
4. Étaler la pâte pour obtenir un carré d'environ 25 cm (10 pouces).
5. Étendre une épaisse couche de confiture sur toute la surface de la pâte.
6. Humecter les bordures avec de l'eau et rouler la pâte comme un gâteau roulé (ou un roulé suisse). Bien faire coller les bordures humides.
7. Déposer le roulé sur une plaque à biscuits pour le faire cuire au four pendant environ 1 heure.
8. Transférer soigneusement le roulé dans une assiette, couper des tranches et les servir avec de la crème anglaise ou de la cassonade et du beurre fondu.

Conseil : pour éviter que ta garniture aux fruits ne s'échappe du roulé ou ne s'accumule d'un seul côté, fais pivoter la plaque durant la cuisson.

tc • IMPRIMERIES
TRANSCONTINENTAL

2012